DEMMLER VERLAG

Erbgroßherzogin Alexandrine
Gemälde von Wilhelm Hensel, 1822

Jürgen Borchert

Alexandrine

Die „Königin" von Mecklenburg

Aus dem Leben
einer preußischen Prinzessin

DEMMLER VERLAG

Titelbild:
Alexandrine mit ihren Kindern,
Gemälde von Wilhelm Schadow, 1826
Staatliches Museum Schwerin, Reproduktion Detlef Klose

Reproduktion: Detlef Klose, Schwerin
und Mecklenburgisches Landeshauptarchiv Schwerin

Für die Veröffentlichungsgenehmigung
sei der Landesbibliothek Mecklenburg-Vorpommern,
dem Mecklenburgischen Landeshauptarchiv Schwerin
und dem Staatlichen Museum Schwerin gedankt

Zu diesem Buch ist mit freundlicher Unterstützung
von Brigitte Feldtmann, Hamburg, im Demmler Verlag
gleichzeitig ein Beiheft mit der Dokumentation über die
Restaurierung des Alexandrinen Denkmals erschienen:
„Alexandrine - Wiedergeburt eines Denkmals"
Im Buchhandel erhältlich
ISBN 3-910150-30-6

© 1995 Demmler Verlag
2. Auflage 2000
Demmler Verlag & Verlagsbuchhandlung
Dr. Margot Krempien
Bahnhofstraße 36, 19057 Schwerin
Telefon/Fax: 0385 / 4844979
E-Mail: vertrieb@demmlerverlag.de
http://www.demmlerverlag.de
Alle Rechte vorbehalten
Druck und Verarbeitung: Buch und Offsetdruckerei
H. Heenemann GmbH&Co

ISBN 3-9101050-29-2

INHALT

I.
Vorspiel in Berlin
1803 bis 1822

Ich glaube, der Anblick dieser reinen Züge
hat mich besser gemacht.
Heinrich Heine, Briefe aus Berlin
1822

Ja, mit Heinrich Heine fangen wir an. Als er in seinen „Briefen aus Berlin" beschreibt, wie er die junge Prinzessin Alexandrine durch den Tiergarten reiten sieht, da ist er ein junger Mann von eben 24 Jahren. Seit einem knappen Jahr studiert er, mit finanzieller Unterstützung seines Onkels Salomon Heine, Bankier in Hamburg, an der Berliner Universität. Er hört Vorlesungen zur Literaturgeschichte bei Böckh, belegt Geschichte des 18. Jahrhunderts (damals also neueste Geschichte) bei Raumer, studiert das Preußische Landrecht bei Savigny und, was seinem scharfen Geist besonders zusagt, Metaphysik, Logik und Religionsphilosophie bei Hegel. Außerdem studiert er die Berliner Weinstuben, die Berliner Mädchen und die Berliner Salons. Rahel von Varnhagen öffnet dem jungen Düsseldorfer Juden mit dem scharfen Kopf ihren Salon; Harry Heine ist ein beliebter Unterhalter, sein Spott ist noch nicht ohne Charme und seine Bonmots machen die Runde. Die „Briefe aus Berlin" sind voller Anspielungen, Witze, Anekdoten und scharfzüngiger Bemerkungen.

6

Berlin, Unter den Linden, 19. Jahrhundert,
Zeitgenössische Lithographie

Sein Umgang wächst ihm aus zwei gesellschaftlichen Ebenen zu: dem der Salons, wo er Alexander von Humboldt, Friedrich de la Motte-Fouqué, Fanny Tarnow (übrigens eine Mecklenburgerin), Christian Daniel Rauch, Adalbert von Chamisso, Willibald Alexis, Helmina von Chézy und den Komponisten Giacomo Meyerbeer kennenlernt, der, wie Heine jüdischer Herkunft, noch Jacob Meir Beer heißt. Zu seiner Erholung geht Harry Heine im Tiergarten spazieren, und dort sieht er sie.

7

Aber jenes leuchtende, majestätische Frauenbild, das da mit einem buntglänzenden Gefolge auf hohem Rosse vorbeifliegt, das ist unsere – Alexandrine. Im braunen, festanliegenden Reitkleide, einen runden Hut mit Federn auf dem Haupte und eine Gerte in der Hand, gleicht sie jenen ritterlichen Frauengestalten, die uns aus dem Zauberspiegel alter Märchen so lieblich entgegenleuchten und wovon wir nicht entscheiden können, ob sie Heiligenbilder sind oder Amazonen. Und dann folgt der oben zitierte Satz.

Aber eine quäkende Altweiberstimme, eine Harfenjule, reißt ihn aus seiner aufrichtigen Bewunderung und hindert ihn zugleich an der Vertiefung seiner Hingerissenheit, denn sie plärrt *den* Schlager der Saison: „Wir wihindehen dir den Juhuhungfernkranz / mit veilchenblahahauer Seiheiheide!", das Gassenlied aus Webers Freischütz, der schon jetzt vom Volke zum „Schreifritz" verklärt, in der letzten Saison im Königlichen Schauspielhaus uraufgeführt worden war, und die Blicke der illustren Premierengäste hatten beim Chor der Brautjungfern ihre Lorgnons auf die königliche Loge gerichtet: Wann würde Prinzessin Alexandrine nun endlich unter die Haube kommen? Wir wissen nicht genau, ob die Prinzessin an der Premiere teilnahm und wer neben ihr in der Loge saß – der König oder einer seiner drei Söhne, vielleicht der Kronprinz? Wir nehmen es aber an, denn das Schauspielhaus und die Königliche Oper begeisterten das junge Mädchen – eine Begeisterung, die lebenslang anhielt.

Als Heinrich Heine die schöne Alexandrine im Tiergarten reiten sah, war sie noch im Brautstand. Genauer gesagt: sie war längst im Brautstande, denn schon seit ihrer Konfirmation war sie förmlich verlobt. Wir kommen auf alle diese Dinge noch einmal zurück, wollen aber erst mit Heinrich Heine fertig werden, denn er hat nicht nur die Amazone reiten sehen, sondern auch die prunkvollen Hochzeitsfeierlichkeiten angelegentlich beschrieben. Zwar blitzt schon hier und da durch den Salonton des jungen Dichters die Schärfe seiner Satire. Viel später, als Heine eine Ausgabe seiner Werke zusammenstellte, da strich er den ganzen Schmus von der Fürstenhochzeit wieder heraus und benutzte die „Briefe aus Berlin" in durch die Kürzung ziemlich grober Verstümmelung als Füllmaterial für den zweiten Band seiner „Reisebilder", die 1827 bei Hoffmann & Campe erschienen. Vielleicht schämte er sich, unterdessen journalistisch und politisch gereift, seiner so milden, fast sanften Haltung, die er noch fünf Jahre zuvor gegenüber dem Preußenthron eingenommen hatte.

Im „Rheinisch-Westfälischen Anzeiger" allerdings waren die Korrespondenzen des Berliner Studenten noch vollständig abgedruckt, und in guten Heine-Ausgaben, nach des Dichters Tod erschienen, ist ihre Vollständigkeit ebenfalls wieder hergestellt.

Die Beschreibung der Solennitäten, die in Berlin aus Anlaß der Vermählung abgefeiert wurden, nimmt den dritten „Brief aus Berlin" fast zur Hälfte ein. Wir können das hier nicht alles zitieren und beschränken uns auf eine Blütenlese.

Es war freilich schon sehr lange vorher bestimmt, daß die Vermählung jener hohen Personen am 25. (Mai 1822) stattfinden sollte. Aber man trug sich damit herum, daß solche noch etwas länger aufgeschoben werde, und wahrhaftig, Freitag (den 24.) wollte ich es noch nicht recht glauben, daß schon am anderen Tage die Trauung stattfände ... Sonnabendmorgen war es nicht sehr lebhaft auf der Straße. Aber auf den Gesichtern lag Eilfertigkeit und geheimnisvolle Erwartung. Herumlaufende Bediente, Friseure, Schachteln, Putzmacherinnen usw. Ein schöner Tag; nicht sehr schwül; aber die Menschen schwitzten. Gegen sechs Uhr begann das Wagengerassel ... Ich bin kein Adeliger, kein hoher Staatsbeamter und kein Offizier – folglich bin ich nicht courfähig und konnte den Vermählungsfeierlichkeiten auf dem Schlosse selbst nicht beiwohnen ... Es war ein furchtbares Menschengewühl auf dem Schloßhofe ... Die Bedienten hatten ihre besten Livreen an, und in ihren schreiend hellfarbigen Röcken und kurzen Hosen mit weißen Strümpfen sahen sie aus wie holländische Tulpen. Mancher von ihnen trug mehr Gold und Silber auf dem Leibe als das ganze Hauspersonal des Bürgermeisters von Nordamerika ... Es war ein Glück, daß ich keine schwangere Frau bin. Ich quetschte mich ehrlich durch und gelangte bis an das Portal des Schlosses. Der zurückdrängende Polizeibeamte ließ mich durch, weil ich einen schwarzen Rock trug und weil er es mir wohl ansah, daß die Fenster meines Logis mit rotseidenen Gardinen behangen sind. Ich konnte jetzt ganz gut die hohen Herren und Damen aussteigen sehen ... Die Beschreibung der Braut überläßt er einem hinzustoßenden Kammermusikus. „Carissime", quäkte er, „sehen Sie dort die schöne Comtesse? Zypressenwuchs, Hyazinthenlocken, der Mund ist Ros' und Nachtigall zur gleichen Zeit, die ganze

10

Frau ist eine Blume, und wie eine Blume, die zwischen zwei Blätter Löschpapier gepreßt wird, steht sie da zwischen ihren grauen Tanten."
Die grauen Tanten – wahrscheinlich handelte es sich bei den Anstandsdamen, die „die Braut zur Kerche" führten, um das Fräulein von Kameke, Alexandrines Erzieherin, und die Schwester ihrer Mutter, Therese von Thurn und Taxis, geborene Prinzessin von Mecklenburg-Strelitz. Beide waren nach damaligem Verständnis schon „graue Tanten", die erste 55, die zweite 49 Jahre alt.

Der Leser ist inzwischen ungeduldig geworden: Wen, WEN DENN, heiratet Alexandrine, Prinzessin von Preußen, Tochter des preußischen Königs Friedrich Wilhelm III. und seiner Frau, der Königin Luise, geborene Prinzessin von Mecklenburg-Strelitz, am 25. Mai 1822? Sie heiratet den Erbgroßherzog von Mecklenburg-Schwerin, Paul Friedrich, drei Jahre älter als seine Braut, Sohn des bereits verstorbenen Erbgroßherzogs Friedrich Ludwig und Enkel des noch regierenden Großherzogs Friedrich Franz I. Preußen revanchiert sich bei Mecklenburg für die schöne Königin Luise mit der nicht minder schönen Königstochter Alexandrine.
Solche Mariagen sind im Verlaufe der Geschichte der beiden Nachbarstaaten häufiger vorgekommen. So hatte Herzog Heinrich II. schon 1292 die Markgrafentochter Beatrix geheiratet. Auch die Herzöge Albrecht V., Heinrich der Dicke, Heinrich der Friedfertige, Albrecht VII. und Johann Albrecht I. heirateten brandenburgische Fürstentöchter. Das

Alexandrines Mutter,
Königin Luise von Preußen,
Gemälde von Anton Grassi, 1803

Alexandrines Vater,
König Friedrich Wilhelm III. von Preußen,
Schabkunstblatt von Hermann Sintzenich

aber sind für Alexandrine „olle Kamellen". Sie muß jetzt erst einmal diese Hochzeit überstehen, und sie muß es ohne ihren Lieblingsbruder, den Prinzen Wilhelm, der später einmal seinem Bruder Friedrich Wilhelm auf dem preußischen Königsthron folgen und 1871 zum deutschen Kaiser gekrönt werden wird.

Davon ist aber in jener letzten Maiwoche des Jahres 1822 noch längst nicht die Rede. Prinz Wilhelm hat sich schmollend nach Amsterdam und Den Haag verzogen, weil der königliche Herr Vater ihm die Verbindung zu einer gewissen Elisa von Radziwill untersagt hat. Das kränkt den Fünfundzwanzigjährigen arg, und so kommt es, daß er der Hochzeit seiner „Adine"-Schwester nicht beiwohnt, denn man hat die Radziwills nicht ausgeladen. Kompliziert!

*

14

Wir haben, wie Heinrich Heine uns mitteilt, strahlendes, fast sommerliches Frühlingswetter, ganz Berlin ist im Festtagstaumel, Bälle, Redouten, Opernaufführungen, Gratulationscouren, Festgottesdienste aller Konfessionen, Umzüge, Feuerwerk.

Am 28. war Freiredoute, teilt Heine mit. *Schon um halb neun fuhren die Masken zum Opernhause ..., wo sie das Büfett sechs Mann hoch umdrängten, sich Glas um Glas in den Schlund gossen, sich den Magen mit Kuchen anstopften, und das alles mit einer ungraziösen Gefräßigkeit und heroischen Beharrlichkeit, daß es einem ordentlichen Menschenkinde fast unmöglich war, jene Büfettphalanx zu durchbrechen, um bei der Schwüle, die im Saale herrschte, mit einem Glase Limonade die Zunge zu kühlen. Der König und der ganze Hof waren auf dieser Redoute.* (Das berühmte „Bad in der Menge", J. B.)

Was Alexandrine betrifft, so zitiert Heine einen jungen Berliner und läßt ihn voller Bedauern sagen: *Als Herzogin von Mecklenburg ist sie doch nicht so viel, wie sie als Königin unserer Herzen war.*

Am Abend zuvor, am 27. Mai, also am dritten Tage der Lustbarkeiten, verfügte sich die königliche Hochzeitsgesellschaft in die Oper, um das eigens zu diesem Zweck komponierte Prachtwerk „Nurmahal oder das Rosenfest von Cashmir" zu hören, das der königliche Hofkompositeur und Opernkapellmeister Gasparo Spontini dem hohen Publico unterbreitete. *Es kostete den meisten Leuten viele Mühe, Billette zu dieser Oper zu erlangen. Ich bekam eines geschenkt; aber ich ging doch nicht hin ... Glauben Sie, daß ich mich für meine Korrespondenz aufopfere?*

Heine berichtet (und der Leser hört ihn kichern), daß tatsächlich Gerüchte umgingen, es sollten zwei Elefanten in der Oper auftreten, was sich dann aber doch als Geschwätz herausstellt. *Nachher sagte man mir, es wären nur zwei Kamele, später hieß es, zwei Studenten kämen darin vor, und endlich sollten es Unschuldsengel sein.*

Heinrich Heine als Student in Berlin, um 1822

Heine macht Spontinis Auftragswerk mit Glanz und Genuß nieder und gerät so in die satirische Rage, daß er auch gleich noch Theodor Körner mit auf die Hörner nimmt, obwohl der natürlich, schon neun Jahre mausetot unterm Rasen zu Wöbbelin, mit Spontini nicht das Geringste zu tun hat. Oder vielleicht doch? Wir müssen das Textbuch ausfindig machen. Dies gelingt uns, merkwürdig genug, mit einem einzigen Telefonat: es liegt, wohlverwahrt, in der Musikaliensammlung der Landesbibliothek zu Schwerin, und es enthält genau das, was Heinrich Heine an Theodor Körner zu kritisieren hat: *jene faden, schalen, flachen, poesielosen Verse, die uns gute Deutsche so sehr enthusiasmierten.* Es ist eben der Zeitgeschmack; manche unserer modernen Musicals sind auch nicht geistreicher.

„Das Rosenfest von Cashmir" hat eine orientalische (besser: orientalisierende) Versdichtung des irischen Schriftstellers Thomas Moore zur Vorlage. Dieser Moore (bitte nicht mit Thomas Morus verwechseln!) schrieb 1817 ein Gedicht mit dem Titel „Lalla Rookh", das als „Lalla Rukh" ins Deutsche kam und von Carl Herklots, dem Hausdichter der Königlichen Oper und des Schauspiels zu Berlin, in ein „lyrisches Drama in Zwei Abtheilungen mit Ballet" umgearbeitet wurde. Herklots war vor seiner Tätigkeit als Librettist Referendar am Berliner Kammergericht gewesen. Seine juristischen Qualitäten reichten vielleicht nicht aus, da wechselte er ins „litterarische" Fach.

Die Fabel, in aller Kürze: Dschehangir, Kaiser der Mongolen, hat Cashmir erobert, dessen Fürsten Atar vertrieben und die Tochter Nurmahal zur Hauptfrau genommen. Nurmahal, die ihren Gatten liebt, entdeckt eines Tages, daß sich ihr Vater, den sie natürlich auch liebt, in Verkleidung herbeigeschlichen hat, um die ihm entrissene Tochter zu sehen. Dies, dem Dschehangir entdeckt, ergibt Zeter, Mordio und theatralische Verwicklung, die sich schließlich trotz gezückter Schwerter und drohendem Volksgemurmel in Wohlgefallen auflöst, denn der Mongolenkaiser wird durch Atars Vaterliebe und Nurmahals Kindestreue erweicht.

Das ganze stelle man sich in wahnsinnig komplizierten Dekorationen und Kostümen vor. Regieanweisung zum ersten Aufzug:

Tagesanbruch. Ein reizvoller Gartenplatz in den Umgebungen des Lustschlosses Shalimar, dessen Palläste man in der Ferne erblickt. Volk von Cashmir und benachbarten Ländern Asiens, Moslems, Ghebern und Hindus sind versammelt, um in frommer Stimmung der Sonne Aufgang zu erwarten.

Im Hintergrunde wird von Feueranbetern auf erhöhtem Altare geopfert. Rechts übt Zelia, mit einem Trupp junger Mädchen, vor einem indischen Götzenbilde, heilige Gebräuche. Links beten Bahar und andere Moslems, nach ihrer Weise. Im Vordergrunde sind auf hohen Minaretten Imane mit Drommeten sichtbar. Der Mullah von Cashmir, von Brahminen umringt, steht in der Mitte dieses Gewühls.

Der deklamiert:

Der Gottheit Dank, die diesen Tag uns sendet,
Das Fest der freuderfüllten Rosenzeit!
Heut' wird es uns ein Fest der Zärtlichkeit,
das des Monarchen Glück vollendet!

Während seiner Deklamation unterbrechen ihn Ausrufe der Mädchengruppen, der Muslime und die Drommetenstöße der Imane auf den Minaretten:

18

Täterätä! Täterätä!
Allah! Allah! Allah!
Nur Muth, der Sultan kommt!
und was dergleichen Orientrhabarber bei solchen tumultua-
rischen Szenen auf dem Theater des Biedermeier üblich ist.
Der Handlung in laut Fabel beschriebener Weise folgt am
Ende, nach all dem Säbelrasseln, den Todes- und den
Liebesschwüren, den Stoßgebeten der Dienerschaft („Oh Allah,
erhelle unseres Herren Geist"), den Arien, Duetten und
Chören, ein Schlußgesang:
Dies Fest bestätigter Treue
Beglückt alle Herzen auf's neue,
Die der Tugend Triumph erfreut!
Der Freundschaft männlich edlem Triebe
Der Eintracht und dem Glück der Liebe,
Genüssen reinster Freude, sey dies Fest geweiht!

Der Vorhang fällt. Elephanten und Kamele sind tatsächlich
nicht vorgekommen.

*

Gaspare Ritter Spontini (1774 bis 1851) war ein sehr vielseitiger Komponist, Opernregisseur und Dirigent. 1810 bis 1812 war er Chef des Pariser Théâtre de l'Imperatrice, wo er die Mozartopern „Figaro", „Cosi fan tutte" und „Don Giovanni" auf die Bühne brachte. 1820 ernannte ihn Friedrich Wilhelm III. von Preußen, Alexandrines Vater, zum königlichen Hofkomponisten und verlieh ihm den Titel „General-Musik-Director".

Gasparo Spontini,
Hofkapellmeister und Generalmusikdirektor in Berlin
Nach einem Gemälde von Auguste Maurin, um 1830

Spontini war der erste GMD in der deutschen Musik-geschichte. Später verkrachte er sich mit seinem königlichen Gönner und arbeitete noch einige Zeit in Paris, ging dann in seine Heimat zurück und starb in seinem Geburtsort Majolati in Ancona. Er hinterließ an die zwanzig Opern, von denen keine mehr gespielt wird, eine große Anzahl preußischer Militärmärsche und Exerziermusiken und war ein schöner Mann, in seiner Erscheinung Schinkel nicht unähnlich. Das

Schinkels Entwurf des neuen Schauspielhauses
in Berlin, um 1820

mag genügen, unser Interesse an Spontinis Oper zu befriedigen. Seinem Werk, wohl „schnell hingehauen", weil die Majestäten drängten, ging es ebenso wie anderen, aus ganz ähnlichen Anlässen geschaffenen Opern und Kompositionen aller Art – sie wurden schnell vergessen. Ich glaube nicht, daß „Nurmahal" nach dem Abklingen der Hochzeitsbegeisterung überhaupt noch einmal aufgeführt worden ist. Die Oper hinterließ nur wenige Spuren in speziellen Lexika; in dem „Musiklexikon Personen von A bis Z", das zu DDR-Zeiten im Deutschen

Verlag für Musik 1981 herauskam, wird sie wenigstens noch
erwähnt. Das fünfbändige Propyläen-Lexikon „Welt der Musik –
Die Komponisten" nennt sie mit keiner Silbe. Mecklenburgischen
Komponisten ist es ähnlich ergangen. Flotows „Andreas Mylius",
komponiert zu den Einweihungsfeiern des Schweriner
Schlosses 1857, ist ebenso vergessen wie Friedrich Kückens
„Tanz der Krokodile", den er für Klavier zu vier Händen,
Verdi nachfolgend, aus Anlaß der Eröffnung des Suezkanals
erfand ...

Heinrich Heine und Gasparo Spontini, so wenig sie sich
zu sagen hatten, verband doch die Zeitgenossenschaft und
die Betrachtung der Hochzeit „von außen", aus dem Kreis
der Öffentlichkeit heraus. Karoline von Rochow, die dem
preußischen Uradel entstammte, als Karoline von Marwitz
1792 zur Welt kam und nach einem „Leben am preußischen
Hofe" 1852 auf ihrem Gut Reckahn bei Brandenburg starb,
hat in ihren Erinnerungen die Trauung „von innen" her,
also aus dem inneren Zirkel der Hofgesellschaft gesehen und
beschrieben. Ihr Schwiegervater war der als „märkischer
Pestalozzi" in die Geschichte eingegangene Philanthrop und
Pädagoge Eberhard von Rochow (1734 bis 1805). Aber wir
schweifen ab, das kann einem beim Umgang mit all den
phantastischen Geschichten, die sich um den preußischen
Hof ringeln, leicht geschehen. Es passierte Heinrich Heine
ebenso wie dem märkischen Wanderer Fontane.

*

Karoline von Rochow beschreibt in einem Brief an ihre Schwägerin Clara die Trauungszeremonie auf die ihr eigene, etwas mokant-souveräne Art. Der Brief ist vom 27. Mai 1822 datiert.

Hier einige Auszüge:

Die Prinzeß kam schon ganz verweint in die Kapelle, war unvorteilhaft frisiert, sah nicht zum besten aus; und nun begann der gute Bischof (Eylert) eine nicht schlechte Rede, aber mit all den wohlfeilen Mitteln, Tränen hervorzulocken, ausstaffiert: Die Trennung, die Familie, die Freunde, das Vaterland, die Jugendfreuden, die Entfernten, die Verstorbenen, die Königin, kurz, nichts wurde vergessen, das arme verweinte Wesen in ihren Tränen zu ersticken; so daß man glaubte, sie müsse jeden Augenblick zu Boden stürzen. Die ganze Kapelle weinte natürlich in Strömen mit, und das sah alles sehr grausam aus, aber nachher waren alle ganz getröstet, und die Sache ging ihren gewöhnlichen Gang. Das Brautpaar trat sehr gut auf; besonders gelang es der Prinzeß, den Fackeltanz auf das schönste mit Grazie und Anstand auszuführen. Damit war dann alles aus, und ich kam sehr echauffiert um halb elf nach Hause ...

Gestern war dann Cour. Die Prinzeß war schon frühmorgens ganz munter und vergnügt erschienen, ganz charmant mit ihrem Gatten, sah den Abend sehr schön aus, viel besser als bei der Hochzeit; recht lustig, hielt ihre Cour sehr gut, tanzte eine Menge Polonäsen ... Um acht war alles aus. Das Ehepaar soupierte darauf allein mit der Kameke (Anmerkung: die Kameke mochte den Bräutigam Paul Friedrich mit seiner

Haartolle, seinen roten Pausbacken und seinem dröhnenden
Gelächter von Anfang an nicht leiden und hatte seit der
Verlobung versucht, die Verbindung zu hintertreiben. J. B.)
und die Herren beim alten Großherzog (Friedrich Franz I.,
der Schwiegeropa aus Ludwigslust). *Mein Anteil an den
Feierlichkeiten ist nun aus; heute Oper, die ich nicht sehe,
morgen Redoute, wohin ich nicht gehe, übermorgen ein Ball,
wo ich nicht gebeten werde, Freitag gehen wir nach Potsdam,
und Sonnabend bin ich, Gott sei gedankt, in Reckahn.*
Ach ja, der königliche Hofprediger Eylert hat auf die
Tränendrüsen gedrückt, und die Prinzessin zerfließt in
Tränen und „tritt sich in den Tüll", wie Tucholsky das
genannt haben würde. *Vorbei der Jugend Taendeleyen, der
Ernst des Lebens tritt heran*, so hat die Karschin, des alten
Fritzen Hofpoetin, gereimt. Was den Hofprediger Eylert
angeht, so ähnelt er in mancherlei Hinsicht seinem Ludwigs-
luster Kollegen Moritz Passow – immer lutherisch ad infinitum,
immer salbungsvoll. Und weil sie sowohl am preußischen wie
am mecklenburgischen Hof auf die Fürsten nur einen geringen
Einfluß hatten, so rächten sie sich durch die Länge ihrer
Predigten. Eylert soll darin ein Meister gewesen sein; seine in
Halle erworbene pietistische Grundhaltung verband sich mit
„einem milden Rationalismus" und mit den Anschauungen
der Romantik. Sein Biograph Beyreuther versuchte es den
Benutzern der „Neuen Deutschen Biographie" so zu erklären:
*Eylerts Kirchenideal entsprach der rationalistischen Über-
zeugung, daß die letzten Normen religiösen Lebens nicht an
die Buchstaben eines starren Bekenntnisses gebunden werden*

können, *wie in der romantischen Überzeugung, dieses Leben in einem vom Glaube und Liebe durchströmten Organismus in rechtlichen Ordnungen zu beschützen.*

Ob Paul Friedrich und seine Braut Alexandrine von diesen religionsphilosophischen Betrachtungen ihres Traupastors etwas verstanden? Ich wage das zu bezweifeln, und wenn Eylert, wie die Frau von Rochow es beschrieben hat, die ganze Hochzeitsgemeinde zum Weinen brachte, dann waren wohl Paul und „Adine" am wenigsten glücklich darüber. Eylert in seiner Trauungspredigt, an Paul Friedrich gewandt: *Wir vertrauen Ihrem edelmüthigen Sinne, Ihrem fürstlichen Worte für jetzt und immer. Ihr heiliger Entschluß ist ja die Frucht der freien Wahl Ihres Herzens und einer reinen Zuneigung. Welches Kleinod Ihnen heute anvertraut wird, das fühlen und ehren Sie, und Sie werden es schützen und bewahren als Ihren Augapfel.*

Dann sangen sie noch *„Ein feste Burg ist unser Gott".*

So! Der Segen ist gesprochen, die Tränen sind geweint, die Ringe sind getauscht, das Fest ist vorüber. Berlin beruhigt sich wieder. Und Alexandrine, nunmehr aus dem Stande der preußischen Prinzessin hinübergewechselt in die Würde einer mecklenburgischen Erbgroßherzogin, läßt ihre Koffer packen, denn nun soll es nach Mecklenburg gehen.

Wir wissen nicht so recht, wie ihr zumute ist in jenem Sommer 1822, als sie ihre Heimatstadt Berlin verlassen muß. Von Adel, Bürger und Volk verklärt schon als junges

Mädchen, ist sie doch auch bloß ein Mensch wie alle anderen. Sie hängt an ihrem Vater, sie liebt ihre Geschwister, namentlich den Prinzen Wilhelm, sie verehrt ihren alten Lehrer Schmidt. Aber nun muß geschieden sein. Mecklenburg wartet auf die Erbgroßherzogin.

Und während Alexandrine packen läßt, wollen wir noch ein wenig von ihrer Kindheit und Jugend und Herkunft erzählen.

*

Am 23. Februar 1803 ist Friederike Wilhelmine Alexandrine Marie Helene, Prinzessin von Preußen, im Schloß Charlottenburg zu Berlin geboren worden. Ihre Mutter hatte noch an einem Hoffest teilgenommen, indessen nicht getanzt, war dann gegen Mitternacht stille verschwunden und hatte, nach kurzer und leichter Geburt, ihre Oberhofmeisterin, die Gräfin Voß, in den Ballsaal gesandt, um dem König und der ziemlich ausgelassenen Gesellschaft die Freudenbotschaft zu überbringen. Die Voß, damals schon angejahrt, soll mit verrutschter Perücke, unverschnürten Schuhen und mit einer Hebammenschürze angetan, in den Ballsaal gekommen sein, und der König habe, so will es der Klatsch von damals wissen, die ehrwürdige Matrone mit nachschleifenden Schnürsenkeln und Schürzenzipfeln durch den Saal geschwenkt.

Die Mutter schreibt an ihren Lieblingsbruder, den Erbprinzen Georg von Mecklenburg-Strelitz nach dem Wochenbett: *Ich bin so wohl und glücklich nach meinen Wochen, als man nur seyn kann. Mein klein Töchterlein, Alexandrine Helene genannt, ist so hübsch, so fett, so rund, als ich es nur wünschen kann, und die Pocken, die sie glücklich überstanden hat, geben mir nun noch einige Zeit die größte Annehmlichkeit, wegen ihrer Erhaltung unbesorgt zu sein.*

Die Pocken? Hufeland, königlicher Leibarzt zu Berlin, hatte das Neugeborene gegen die Kuhpocken geimpft. Fast war Alexandrinchen ein Versuchskarnickel, denn diese Impfungen standen noch im Geruch des Experimentellen. Hufeland meinte wohl, daß nach der erfolgreichen Impfung eines königlichen Kindes auch das Volk eher bereit sein könnte, sich dem Lanzettstich auszuliefern.

Die Mutter hieß Luise, Tochter des Herzogs von Mecklenburg-Strelitz. Sie selbst war am 10. März 1776 in Hannover geboren worden. Ihr Leben endete am 19. Juli 1810 in Hohenzieritz, dem Sommerschloß ihres Vaters. Sie hatte im Laufe ihrer Ehe mit Friedrich Wilhelm III., König von Preußen seit 1797, zehn Kinder geboren. Alexandrine war das siebente Kind der Königin (oder sechste, wenn man die Totgeburt des allerersten, einer Tochter, 1794, unberücksichtigt läßt).

Alexandrines „Puppenecke"
im Prinzessinnenpalais in Berlin,
Lithographie von Adams, um 1812

Prinzessin Alexandrine,
etwa 10 Jahre alt
Unbekannter Künstler, um 1813

Luise, Königin von Preußen: eine Legende. Die Literatur über diese schöne und kluge Frau, die große tragische Frauengestalt der preußischen Geschichte, ist uferlos, ein Meer von Worten und ein Schwall von Hymnen. Wir wollen ihr Leben hier nicht zum hundertsten Mal erzählen. Das vielleicht beste Buch über die schöne Königin erschien 1988 im Berliner „Verlag der Nation". Es trägt den Titel „Die letzte Fahrt der Königin Luise". Mein Kollege und Freund Egon Richter hat es geschrieben. Ich muß ihn nicht abschreiben.

Der Vater Alexandrines hieß, wir sagten es mehrfach, Friedrich Wilhelm III. Dessen Vater, König Friedrich Wilhelm II., war der Neffe des Alten Fritzen und der Großneffe des „Soldatenkönigs" Friedrich Wilhelm I. Alexandrine war also, wenn Sie folgen können (was im Dschungel der Dynastien nicht immer so einfach ist), die Urgroßnichte Friedrichs des Großen.

Ihre Geschwister (und nun führen wir nur die auf, die längere Zeit am Leben blieben) waren: Friedrich Wilhelm (1795 bis 1861), als F. W. IV. König von Preußen; Wilhelm (1797 bis 1888), Lieblingsbruder Alexandrines, König von Preußen seit 1861 und deutscher Kaiser seit 1871; Charlotte (1798 bis 1860), seit 1817 Großfürstin, seit 1825 Zarin von Rußland als Gattin Nilolaus' I.; Karl (1801 bis 1883) galt als Sonderling. Er war bis in sein hohes Alter Ordensmeister der Johanniter in Sonnenburg; Luise (1808 bis 1870) und Albrecht (1809 bis 1872) wurden mit niederländischen Königskindern verheiratet.

Die königliche Familie im Schloßpark zu Charlottenburg
(links stehend Alexandrine)
Gemälde von Dähling

31

Friedrich Wilhelm III. und Luise
Stich von F.W. Nettling nach C. Hampe

1802, im Sommer vor Alexandrines Geburt, begleitete die Königin ihren König (sie nennt ihn stets selbst so in ihren Briefen und Tagebuchnotizen: *Mein König benahm sich sehr anständig, mein König war recht gesprächig* usw.) nach Memel, wo er sich mit dem Zaren Alexander treffen wollte, um die politische Entwicklung in Europa zu besprechen. Luise war von Alexander begeistert, ja, sie war hingerissen. In ihrem Tagebuch, das sie als „Journal von Memel" später lediglich ihrem Bruder, dem Erbprinzen Georg von Mecklenburg-Strelitz zu lesen gab, schwärmt sie wie ein junges Mädchen von diesem Russenkaiser. *Er küßte mir die Hände, und ich neigte meinen Kopf so, als wollte ich ihn auf die Wange küssen ... Wir verbrachten den ersten Abend ganz unter uns ... Ich legte ein sehr reiches, schweres Kleid und für einige Millionen Diamanten ab, zog ein elegantes Musselinkleid an und frisierte mich ganz leicht ... Wir blieben lange zusammen und ich hatte kaum Zeit, mich zum Diner umzuziehen. Und nach dem Essen kam er wieder sehr zeitig ... Schon begann die Traurigkeit* (des bevorstehenden Abschieds) *uns zu übermannen und er sagte mir, wie froh er sei und wie glücklich er sich fühle, falsche Nachrichten und falsche Berichte über uns zurückzuweisen. Das bewies mir allerdings, daß solche über uns im Umlauf waren ... Ich stellte ihm vor, wie viele Klippen er zu überwinden habe: die Jugend* (Alexander I. war 24, Luise 26 Jahre alt), *die Unerfahrenheit, die verschiedenen mit Jugend und Kraft verbundenen Leidenschaften ... Halb zehn Uhr verließ er uns. Dicke Tränen standen ihm in den Augen ...*

Dieses Tagebuch schrieb Luise in der Zeit vom 10. bis zum 16. Juni 1802 in Memel. Genau acht Monate und sieben Tage später gebar sie ein Töchterchen. Sie nannte es Alexandrine. Honni soit qui mal y pense – ein Schelm, wer Arges dabei denkt: der Kalender straft den Hofklatsch Lügen.

Übrigens muß ein mecklenburgisches Apropos eingeschaltet werden – das Treffen des Zaren Alexander mit dem König Friedrich Wilhelm III. war das Ergebnis der Vermittlung des Erbprinzen Friedrich Ludwig von Mecklenburg-Schwerin, der über seine Frau, des Zaren Schwester, um das Arrangement gebeten worden war. Familienpolitik und Weltpolitik vermischen sich in den Ehebetten. Friedrich Ludwig, dem es nicht vergönnt war, den mecklenburgischen Thron zu besteigen, hatte mit Helene (russ. Jelena Pawlowna) ein Söhnchen, geboren im Jahre 1800, das die Namen Paul Friedrich trug und später Luises Töchterlein Alexandrine heiraten würde. So schließen sich die Ringelspiele.

Luise konnte sich um Alexandrines Erziehung nur sehr sporadisch bekümmern. Als Napoleon Bonaparte ins Land fiel und das preußische Heer bei Jena und Auerstedt am 14. Oktober 1806 vernichtend schlug, floh sie vor dem Korsen nach Osten. Graudenz, Tilsit, wieder Memel, Königsberg. In Tilsit traf sie dann den Bezwinger Preußens; die Gespräche mit Napoleon, der ihr galant begegnete, haben nicht viel bewirkt; die Königin versuchte, Unvereinbares zu vereinen – ihre Würde als Königin von Preußen und die

34

Bitte um Milde und Nachsicht des Siegers, um Verschonung der preußischen Provinzen und um die Rückgabe der Festungen. Anekdote: Der Kaiser der Franzosen überreicht der schönen Königin eine Rose. Luise ziert sich. Napoleon: *„So nehmen Sie sie doch an!"* Luise: *„Nun, gern, aber nur mit Magdeburg!"* Noch eine Anekdote: Napoleon fragt vorwurfsvoll, warum sich Preußen denn überhaupt in einen Krieg mit ihm eingelassen habe. Luise: *„Sire, der Ruhm Friedrichs des Großen hat uns über unsere Macht getäuscht!"*

Und die Kinder unterdessen? Hufeland setzt die Königin in Angst und Schrecken, als er ihr nach Memel berichtet, daß die Masern sich in Berlin und Brandenburg breitmachen und auch Alexandrine betroffen sei, starker Husten, Seitenstiche und Fieber, Beklemmungen ... Aber es geht vorüber.

Luises Einreden auf Napoleon hat wenig genützt, so heroisch es auch sein mag, wie sich die Königin einsetzt. Am 9. Juli 1807 unterzeichnen die Monarchen den Frieden zu Tilsit, der Preußen auf die Sparflamme setzt. Alle westelbischen Landesteile, Danzig und die aus den polnischen Teilungen erworbenen Territorien mit Ausnahme Westpreußens sind perdu. Die Kontribution ist unermeßlich. Wer soll das bezahlen? Der Volksmund hat dennoch gut spotten. In Berlin kursiert die Scherzfrage: Was kommt aus Tilsit? Antwort: Nichts als Käse. In Perleberg läßt ein Witzbold eine Inschrift in den Balken seines neuerbauten Hauses schnitzen: *Erbaut im Jahre 1807, nach dem Frieden zu Tilsit und darum nicht höher.*

Napoleon und die Königin Luise in Tilsit
Gemälde von Gosse

Eine zeitgenössische Bilddarstellung vom Friedensschluß zu
Tilsit zeigt Luise und Napoleon, Alexander I. und Friedrich
Wilhelm III. vor der Treppe des Schlosses in Tilsit. Napoleon,
kleingewachsen und auf dem Bild noch kleiner als Luise, hält
mit ritterlicher Geste zwei Finger der rechten Hand der Königin.
Zwischen beiden steht der große Alexander und überragt die
Gruppe stilvoll, das runde Gesicht seinem „Kollegen" Napoleon
zugewendet. Friedrich Wilhelm steht auch dabei. Es wird

noch fünf Jahre dauern, daß ein aus Mecklenburg stammender Reitergeneral namens Blücher diesem Scheinfrieden ein Ende bereiten wird.

Erst am 23. Dezember 1809 kehrt Luise nach Berlin zurück. Die schmachvollen Fluchtjahre, die Trennung von ihrer Familie und von der geliebten Heimat, haben ihre Gesundheit zermürbt. Sie hofft, sich in Hohenzieritz, auf dem Sommerschloß ihres Vaters in Mecklenburg-Strelitz, etwas zu erholen. Sie reist am 25. Juni 1810 dorthin ab. Gleich nach ihrer Ankunft erkrankt sie schwer. Am 19. Juli 1810 stirbt sie, erst 34 Jahre alt.

Alexandrine hat den Tod der Mutter als sechsjähriges Mädchen erlebt. Wir wissen nicht, was in der Seele dieses Kindes vorgegangen ist. Die Abstände, die die Etikette des Hofes zwischen Eltern und Kindern fürstlichen Geblütes vorschrieb, mögen auch hier gewirkt haben. Ein sehr enges Verhältnis indes hatte Alexandrine zu ihrem Lehrer Friedrich Schmidt, einem Dessauer. Sie bewies ihm sehr viel Achtung, ja sogar Ehrerbietung und Liebe. Und als Paul Friedrich kam und sie nach Mecklenburg wegheiratete, war Schmidt die erste Adresse, um sich mitzuteilen. Aus Doberan, wo sie 1822 ihre erste Saison verbringt, schreibt sie an Schmidt: *Der Eindruck, welchen die See auf mich gemacht, ist unbeschreiblich ... Man fühlt sich so klein und nichtig.*

*

II.
Glück im Winkel?
1822 bis 1837

Wo ein Leser weilt, dem in dieser kalten Welt
noch nicht alles holde Mitgefühl erfroren,
der lasse eine Thräne
auf die nächstfolgenden Zeilen fallen.
Ludwig Reinhard
„Scherben“, 1835

War es wie im Märchen, so schlimm? Holte der arme Prinz,
ein Halbwaisenknabe, seine Prinzessin, die auch eine Halb-
waise war, fort aus der glänzenden Stadt des Königs, holte sie
fort in die finsteren Wälder seiner Väter?
Manchmal wiederholt sich die Geschichte. Alexandrine, als
sie aus Berlin nach Ludwigslust und Schwerin umziehen
mußte, wird ähnliche Gefühle gehabt haben wie Helene
Paulowna Romanowa, die zartgliedrige Zarentochter, die
man schon mit vierzehn Jahren verheiratet hatte. Sie, Paul
Friedrichs Mutter, kam aus dem strahlenden St. Petersburg
und bezog das Alte Palais zu Schwerin, jenen höchst bescheidenen Fachwerkbau, den selbst gutwilligste Lokalpatrioten
nicht ein „Schloß“ nennen werden. Ihren Sohn Paul Friedrich
gebar sie, da war sie fünfzehn, und sie starb mit achtzehn
Jahren, manche sagen, vor Kummer und Heimweh, obwohl

sie so viele russische Gebetbücher mitgebracht hatte. Sie haben ihr keinen Trost gespendet, und ihr Schwiegervater, Herzog Friedrich Franz I., ließ ihr von dem Lübecker Stadtbaumeister Lillie ein Mausoleum in den strengen Formen eines attischen Tempels errichten, an jener Stelle in seinem riesigen Schloßpark, an der er eigentlich eine russisch-orthodoxe Kapelle errichten lassen wollte, um der Kindfrau wenigstens auf religiösem Gebiet ein Eckchen Heimat zu geben. Das Mausoleum mit der Giebelinschrift *Helenen Paulownen* steht würdig und still bis heute im Ludwigsluster Park. Der Erbprinz Friedrich Ludwig blieb sieben Jahre Witwer, ehe er sich 1810 erneut verheiratete. Seine zweite Frau war Caroline Louise von Sachsen-Weimar, Tochter Herzogs Carl August, Goethes Gönner. Auch diese Ehe erfreute ihn nicht lange, denn Caroline starb schon nach nur fünfjähriger Dauer im Januar 1816. Die dritte Frau, die Paul Friedrichs Vater schließlich 1818 ehelichte, Auguste von Hessen-Homburg, überlebte ihren Stiefsohn zwar um fast dreißig Jahre, aber an seiner Erziehung hat sie sicher kaum Anteil gehabt. Wie soll so ein Knabe, sei er nun fürstlichen oder bürgerlichen Geblüts, auch mit gleich drei Müttern zurechtkommen! Er hatte schon als Windelkind einen eigenen Hofstaat, und seine Kinderfrau Ernestine Concordia de Wailly, seine Amme Maria Elisabeth Ehrke, sein Kleidermädchen Louise Evers und die Stubendienerin Maria Schmidt, alle, von der nährkräftigen Amme abgesehen, ehrenwerte Damen mittleren Alters, werden ihn recht verwöhnt haben, den Prinzen Paul, der den Namen seines Großvaters, des Zaren Pawel

Romanow, trug und sich zu einem großen, stattlichen, rotbäckigen jungen Mann auswuchs. Ob er diese Statur auch erlangt hätte an der schmalen Brust seiner kindlichen Mutter? „Lisch" Ehrke stammte, wie uns der Name der Amme verrät, aus der Griesen Gegend, wo es damals Ehrkes in großer Zahl gab. Sie heiratete übrigens auch einen Ehrke, möglicherweise einen Cousin, der später Postsekretär zu Doberan wurde, und hatte zwei Söhne, Zwillinge, die sie sinnigerweise Paul und Friedrich nannte. Als Paul Friedrich zur Regierung kam, nahm er sie als Kammerdiener mit nach Schwerin, wo sie nach seinem Tode auch noch seinem Sohn, dem zweiten Friedrich Franz, dienten. Genug der Schmonzettchen aus der Dienerschaft!

Ludwig Reinhard beschrieb in seinem Reisebuch „Scherben" die damalige Atmosphäre der kleinen Residenz „Lulu" ziemlich genau: *Trotz der nicht aufgelösten Janitscharen geht es doch niedlich und friedlich zu, und alle Motionen sind nicht politischer, sondern diätetischer Art. Die Einwohner sind mit den trefflichsten Anlagen versehen, man vergleiche den englischen Garten. In den Ehen ist die Leibeigenschaft noch nicht aufgehoben. Metall führt man hier teils auf der Brust, teils in der Kehle, teils in den Taschen. Wenn ingenium herkommt von gignere, so hat der Ort viele Genies, denn die hiesigen Produkte bestehen meist in Kindern. Ein Hauptzweig der Industrie ist Kabale schmieden. Konsumiert werden viele Hutkrempen. Nach Dömitz kann man aus zwei Toren kommen.*

Das Schloß in Ludwigslust
Stahlstich nach einer Zeichnung von Julius Gottheil, 1850

Reinhard mußte es wissen: Er hat, in Sichtweite des Schlosses, anderthalb Jahrzehnte als Lehrer und Subrektor in Lulu gedient und mußte die zahlreichen *hiesigen Produkte,* die Kinder der Hofschranzen und der Dienerschaft, erziehen. Dabei wird er so manches Mal schier verzweifelt sein, denn die unselige Hierarchie der „Mecklenburgischen Rangordnung", in der der Stallmeister des Herzogs vor dem Bürgermeister der Stadt Rostock rangierte, setzte sich natürlich im Klassenzimmer fort, und der Sohn des Großherzoglichen Roßarztes mußte sich vom Bostbengel des Mundkochs widerspruchslos verdreschen lassen, weil dessen Vater zwei Stufen über dem seinen stand.

In diese Welt kommt Alexandrine. Nun ja: sie ist kein „durchsichtiges Persönchen" wie ihre Schwiegermutter, die kindliche Helene, sondern eine ansehnliche, gutgewachsene, wohlproportionierte und durchaus lebensfrohe junge Frau. Sie trägt gewagteste Dekolletés und muß dabei keinesfalls befürchten, daß das Kleid nach unten rutscht. Paul liest ihr jeden Wunsch von den Augen ab und läßt die seinen mehr als wohlgefällig auf ihr, seiner Schönen, ruhen. Es muß übrigens bei den beiden schon – Pardon für meine Respektlosigkeit! – gleich in der Hochzeitsnacht „gefunkt" haben, denn fast auf den Tag genau neun Monate später, am 28. Februar 1823, kommt das erste Kind, ein Junge, ein Thronfolger: Friedrich Franz II., auf die Welt. Mit jedem Kind (1824 folgt Luise, 1827 der Prinz Wilhelm) wird Alexandrine schöner.

Der alte Großherzog, als sein Enkel Paul ihm von der dritten Schwangerschaft seiner Frau nach Doberan berichtet, gibt seiner großväterlichen beziehungsweise urgroßväterlichen Freude mit einem etwas deftigen Brief Ausdruck – es ist eben eine Männerwelt, in der Frauen wie Pferde betrachtet und geliebt werden:

Dobbr. 19. Juni. 26

Lieber Paul,
Ich beeile mich meine Gratulation, zur glücklichen besae-
mung deiner lieben Frau Abzustatten, und freue mich daß du

42

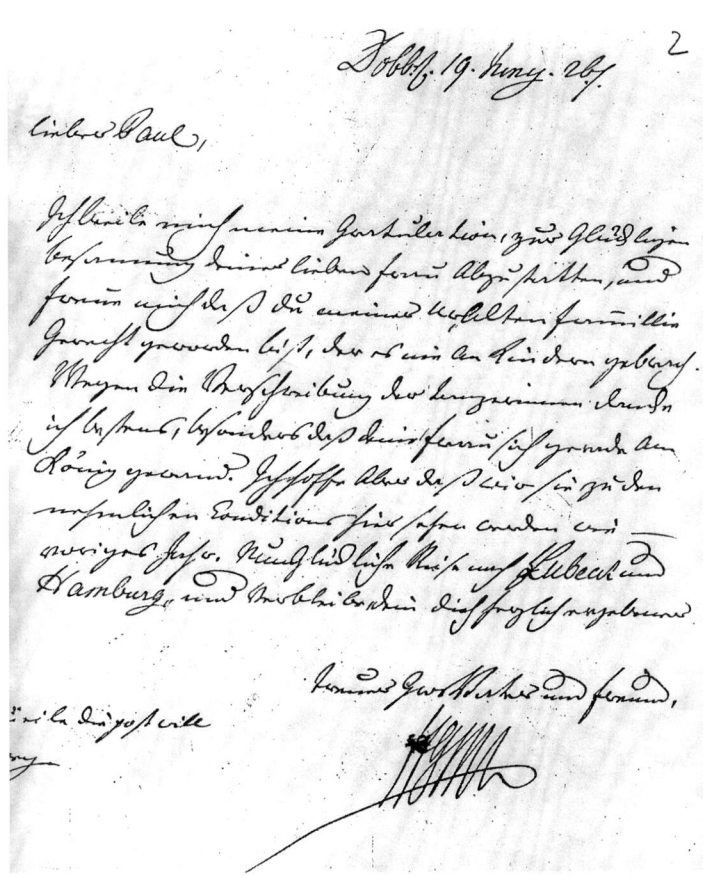

Brief Friedrich Franz I. an seinen Enkel Paul Friedrich vom 19. Juni 1826
Mecklenburgisches Landeshauptarchiv Schwerin

meiner uralten famillie Gerecht geworden bist, der es nie an Kindern gebrach. Wegen die Verschreibung der Tanzerinnen danke ich bestens, besonders daß deine Frau sich gerade am König gewand. Ich hoffe Aber daß wir sie zu den ursechlichen Conditions hier sehen werden wie voriges Jahr. Nun Glückliche Reise nach Lubeck und Hamburg, und verbleibe dein dich herzlich ergebener
treuer GroßVater und Freund,

FGHZM

Das ist die Originalorthographie des Alten, und wohl auch sein Originalton. Auf die „Verschreibung der Tanzerinnen" kommen wir später noch einmal zurück.

Paul Friedrich sinnt auf einen schöneren Rahmen für sein Juwel, als das biedermeierliche Lulu bieten kann. In seinem Kopf spukt schon das Bild einer königlichen Residenz. Sie heißt: Schwerin.

Aber noch regiert ja Großpapa mit Würde und in unerschütterlicher Gelassenheit. Als Paul Friedrich seine Alexandrine nach Mecklenburg holt, ist Friedrich Franz I. 65 Jahre alt, steht auf der Höhe seines Lebens und durchaus auch noch seiner Kraft, die er in seinem ständigen Kampf mit der Ritterschaft nicht schont. Dennoch: er hat sich eingerichtet in seinem weißen Schloß und in der biedermeierlichen Sanftheit seiner Residenz. Hier hat man doch alles so leicht und so nahe beieinander, und wenn man seine Regierung zu sehen wünscht, so genügt ein Fingerzeig an den Hofmarschall.

Wir wollen doch noch einmal an jenen Tag zurückkehren, an dem Paul Friedrich mit seiner Alexandrine nach Mecklenburg zurückkehrte. Es war dies der 10. Juni 1822.

Schon an der Grenze des Großherzogtums, die, durch den Meyngraben bezeichnet, die Poststraße von Berlin nach Hamburg eine halbe Meile vor Grabow kreuzt, ist jubelndes Volk aufgebaut. Pastoren, Schulmeister und Schulkinder der naheliegenden mecklenburgischen Dörfer Beckentin, Kremmin, Wantzlitz, Semmerin, Neese und Werle, die dortigen Schulzen, Gutspächter und Krugwirte, die Schützen, Förster und Landreiter bilden bis zur Stadteinfahrt von Grabow Spalier und bewerfen die Karosse mit Sommerblumen. Die meisten von ihnen haben ihren Erbgroßherzog und seine schöne junge Frau noch nie gesehen und sind, wie man sich denken kann, des Entzückens voll.

In Grabow entbietet die Einwohnerschaft ihr Willkommen mit einem kunstvoll gereimten Festgedicht. Wir kennen den Dichter nicht, aber es muß sich um einen gebildeten Mann gehandelt haben, denn er vergleicht in seiner parabelhaften Hymne die Mütter des Brautpaares und muß auch von der Spezialkomposition Spontinis gewußt haben:

Im heil'gen Angedenken Aller leben
Zwei Frauen, die schon im Verklärungslicht
Hoch über uns in sel'gen Räumen schweben,
Von denen man, wie von Gestirnen, spricht,
An's Firmament Glückbringend hingestellet,
Und immerdar uns liebend zugesellet.

Zwei hohe Frauen – diesem Lande Beide
Nah' anverwandt. – D i e unsre Landsmännin,
Des Nachbarvolkes Stolz und Ruhm und Freude,
Der Brennen hochgepries'ne Königin;
Und J e n e – Göttergab' aus fernem Lande –
Dem heim'schen Thron verknüpft durch Hymens Bande.

Und schöner noch, als ihre Fürstenkrone,
Umstrahlte sie der Fürstentugend Glanz;
Der Thron nicht, – inn're Weihe zu dem Throne
Gewann die edlern Seelen ihnen ganz.
Wer Namen suchte für das Hohe, Schöne,
Rief dann entzückt: L o u i s e und H e l e n e!

Und wie sie wohnten in der Völker Herzen,
War diesen ihre Lieb' auch zugewandt;
Sie selbst umschlang, bewährt in Lust und Schmerzen,
Der Freundschaft sympathetisch schönes Band.
O glücklich, wenn zwei Edele sich finden!
Eins ist: sich seh'n, sich lieben, sich verbinden. –

Längst gingen Beide zu der Sel'gen Hallen,
Und ihre Thaten folgten ihnen nach;
Doch Neigungen, bei ihrem Erdenwallen
So treu gepflegt, sie blieben jenseits wach.
Neu wollten sie der Freundschaft Kranz nun flechten,
Indem sie uns des Glückes Pfänder brächten. –

Wem gilt der Blumen ausgestreute Fülle?
Wen feiert dieser Glocken hoher Ton?
Wer ruft den Jubel in die tiefe Stille? –
Louisens Tochter und Helenens Sohn!
Auf sie verstammt sind ihrer Mütter Triebe;
So kommen sie vom Rosenfest der Liebe.

Und mit den Neigungen der M ü t t e r bringen
Sie auch der V ä t e r Tugenden uns mit.
Zu schwach, o Lied, auch diese zu besingen,
Halt' fest daran: sie bringen sie uns mit!
So, mit dem Willen, wachsen ihre Kräfte
Zur Volksbeglückung heiligem Geschäfte.

Willkommen, unsers Glücks erhab'ne Pfänder,
Von hehren Genien für uns erseh'n!
O schöner Schmuck hochzeitlicher Gewänder,
Die zu des Volkes Hoffnungen – so steh'n!
Daher Entzücken, Wonn' in jeder Miene
Beim Jubelruf: P a u l und A l e x a n d r i n e!

Von Grabow an ist die Sache amtlich geregelt und vorge-
schrieben, von hier ab gilt die „Protokollstrecke" bis nach
Ludwigslust:

Das Großherzogliche Hofmarschallamt

*Bestimmung über den Empfang Ihrer Königlichen Hoheiten,
des Erbgroßherzogs und der Frau Erbgroßherzogin in Grabow
und Ludwigslust bei höchstdero Einzug in Mecklenburg*

*Ihro Königliche Hoheiten werden empfangen
1. auf der Mecklenburgischen Grenze von der reitenden
Bürgergarde aus Grabow, welche aus den Gewerkspersonen
besteht.
2. eine halbe Stunde weiter auf der Grabower Stadtgrenze
von den jungen Kaufleuten und Bürgern aus Grabow gleichfalls zu Pferde.
3. am Thore von Grabow von der Schuljugend mit deren
Lehrern.
4. auf dem Markt in Grabow, von Magistrat und Geistlichkeit
und jungen Mädgen.
5. hinter Grabow gleich wird eine Escadron Cheveauxlegers
aufgestellt seyn.
6. auf der Ludwigsluster Grenze von der Bürgergarde zu
Pferde, bestehend aus Gewerkspersonen.
7. in Ludwigslust auf dem Alexandrinen Platz von der Schuljugend mit Pastor Herr Walter.
8. in der Breiten Straße, von der Geistlichkeit, Magistrat,
und jungen erwachsenen Mädgens.*

Außerdem wird eigens für Alexandrine ein Übergangshof-
staat gebildet, im wesentlichen eine Art „Damenkomitee".

Mit eigener Hand stellt Oberhofmarschall Bernhard Joachim von Bülow eine für Alexandrine bestimmte Liste zusammen, damit die junge Frau weiß, mit wem sie es zu tun hat:

Comité zu dem Empfange Ihrer Königlichen Hoheit der Frau Erbgroßherzogin im Schlosse zu Ludwigslust am 10ten Junius 1822

Oberhofmeisterin von Lützow hat zwei unverheirathete Töchter hier & ist eine gebohrene von Maltzahn, Schwester des Hofmarschalls

Ministerin von Plessen hat eine erwachsene Tochter u. bei sich eine Verwandtin Fräulein von Horn

Generalin von Both, geb. von der Tann aus Fulda, kam mit der verstorbenen Erbgroßherzogin Caroline als Hofdame nach Mecklenburg.

Oberstallmeisterin von Bülow, Tochter des Obermarschalls von Bülow in Schwerin und Schwester des Hofmarschalls von Bülow, ihr Mann war mit dem Großherzoge bei der Verlobung in Berlin

General von Pentz und Frau, zwei erwachsene Töchter.

Generalin von Boddien, geborene von Dewitz aus Strelitz, war Hofdame der Großfürstin Helene, hat eine sehr zahlreiche Familie.

Schloßhauptmann von Levetzow u. Frau – wurde von ihrem ersten Mann Kammerherrn von Gersdorff geschieden. Gräfin von Levetzow war mit der Herzogin Marie in Berlin.

Reisemarschallin von Buch, geb. von Mecklenburg, zwei Fräulein von Lützow, von denen die eine Herrn von Schmidt geheiratet und die andere mit dem Forstmeister von Buch versprochen ist, halten sich bei ihr auf.

ViceOberstallmeisterin von Rantzau, geb. Gräfin Golz; Herr von Rantzau war mit der verwittweten Frau Erbgroßherzogin in Berlin.

Kammerherrin von Brandenstein, gen. von ?ieben, Hofdame bei der verwittweten Erbgroßherzogin und erst kürzlich verheirathet. Herr von Brandenstein ist Gouverneur von Prinz Albrecht.

Majorin von Pogwisch, Schwester der Hofdame Fräulein von Vietinghoff. Herr von Pogwisch war sonst in preußische Dienste.

Majorin von Elderhorst, aus der Gegend von Düsseldorff, Herr von E. kommandirt das Gardebataillon.

Majorin von Du Frassel

Für Goethe-Freunde merken wir nur schnell an, daß es sich bei dem erwähnten Herrn von Levetzow um den Vater jener

Ulrike von Levetzow handelt, die den Geheimrat auf seine alten Tage hinriß.

Wir wissen nicht genau, wo Paul Friedrich und Alexandrine in Ludwigslust ihre erste Wohnung nahmen. Möglicherweise stellte der Großherzog dem jungen Paar den linken Seitenflügel des Schlosses zur Verfügung. Hier im Obergeschoß ließ Paul Friedrich alles verändern – die Wandbekleidungen wurden durch preußischblaue Tapeten ersetzt, die aus Atlasseide gewebt waren. Hofbaumeister Barca bekam zu tun – jener Barca, der als Nachfolger des Baumeisters Friedrichs des Frommen, Johann Joachim Busch, das Gesicht der Residenz geprägt hatte. Johann Georg Barca, 1781 geboren, konnte jedoch Paul Friedrichs Geschmack nicht recht treffen. Seine schweren, archaischen Architekturformen an der Grenze zwischen Barock und Klassizismus waren dem jungen Thronfolger und seiner Frau wohl zu erdenlastig. Dennoch richtete Barca immerhin einige Räume und Korridore des Schlosses nach dem Gusto der jungen Leute ein. Aber schon 1826 starb Barca. Sein Nachfolger, zwar nicht gleich als Hofbaumeister, so aber doch im Geiste, wurde ein junger Mann. Er war noch vier Jahre jünger als Paul Friedrich und hieß Georg Adolph Demmler. Die Nennung dieses Namens verdeutlicht schon, wohin die Lebensreise geht: nach Schwerin.

Noch aber hieß Alexandrines Wohnplatz Ludwigslust, und sie mußte sich in die neue Welt der kleinen Residenz schicken, ob sie es nun wollte oder nicht. Zunächst hatte sie ihre Gouvernante, das Fräulein von Kameke, aus Berlin nach Ludwigslust mitgebracht. Die Kameke, die der ganzen Verbindung von vornherein ablehnend gegenübergestanden hatte – wahrscheinlich fürchtete sie, ihr Pöstchen bei der Prinzessin zu verlieren, wenn diese erst einmal verheiratet war –, die Kameke also wurde schon bald nach Hause geschickt; es war wohl nicht Paul Friedrichs Sache, sich von einer halbgebildeten und etwas zickigen Gouvernante in seine Ehe hineinreden zu lassen. So seltsam es klingen mag – wir haben zeitgenössische Nachrichten, daß die Gouvernante es nicht fertigbrachte, ihrer Schülerin in jungen Jahren „auch nur orthographisch schreiben zu lehren, noch in ihr viel Sinn für geistige Bildung zu erwecken". So schreibt wörtlich die Freifrau Karoline von Rochow und fährt mit der Mitteilung fort, daß erst Schmidts Unterricht „in der Prinzessin Herz, Sinn und Charakter entwickelte". Daß Alexandrine trotzdem an „der Kameke" hing, mag mit ihrer frühen Mutterlosigkeit zusammenhängen. Nun aber wurde sie selbst Mutter; die alte Jungfer störte.

Für den Erbgroßherzog und seine junge Frau wurde ein eigener Hofstaat installiert und benannt: 58 Personen umwieseln das junge Paar. Auffallend wenige Adlige sind darunter. Natürlich Paul Friedrichs Adjutant, der Rittmeister von Kahlden, und der Cavalier (Ehrenbegleiter) des erbgroßherzoglichen Paares, Oberforstmeister Jasper von Bülow, sowie die Hofdamen Alexandrines, Henriette von der Lancken und Marie von Moltcke, gehören dem Adel an. Die wichtigen Amtsgeschäfte werden von zwei Sekretären besorgt, dem ehrwürdigen Hofrat Zoellner, der Paul Friedrich in militärischen Angelegenheiten zur Hand geht (er empfing aus Blüchers Hand das Eiserne Kreuz), und dem jugendlichen Karl Prosch, einem außerordentlich beschlagenen Verwaltungsmann, der später einmal als Regierungsrat Mecklenburgs Finanzen ordnen und den Eisenbahnbau vorantreiben wird. Paul Friedrichs Neigung zu bürgerlichen Freunden und ihren Fähigkeiten ist ohne Zweifel durch Prosch befördert worden.

Zwei Kuriosa noch am Rande: Paul Friedrich und Alexandrine verfügen neben all den Lakaien, Dienern, Inspektoren, Bonnen und Jungfern, neben Gartenknecht, Frotteur und Feuerwärter auch über einen Läufer, der fast täglich zwischen Schwerin und Ludwigslust hin- und hertrabt und militärische und zivile Nachrichten seines geliebten Herrn befördert. Wie heißt der wohl? Richtig: Ehrke, Ludwig, der dritte Sohn der Amme seines Herrn, also, genaugenommen, sein Milchbruder. Der ließe sich für seinen Herrn in Stücke hacken. Und einer der Kutscher, Kuriosum Nr. 2, heißt Andreas Kutschinoff. Eigentlich heißt er ja Andrej Stscherbyschtschin und ist ein echter Kosak, den die russische Verwandtschaft an den Ludwigsluster Hof verschenkt hat. Aber wer soll sich so einen Namen merken: Kutschinoff paßt.

Aus solcher Welt schreibt Alexandrine, hochschwanger, an ihren Lehrer:

Ludwigslust, d. 14. Februar 1823
Lieber Herr Schmidt,
ich kann unmöglich den 14. Februar vorüber gehen lassen, ohne Ihnen, als dankbare Schülerin, meine Glückwünsche zum Geburtstag zu senden! Sonst hatte ich die Freude, sie Ihnen mündlich sagen zu können, jetzt aber muß die Feder sie dem Papier vertrauen. Indessen sind sie doch nicht minder warm und innig. Sie werden wohl jetzt gerade bei Luise*) sein, denn es schlägt eben 11 Uhr. Einst war dies die Stunde, wo ich bei Ihnen Unterricht hatte, in der blauen Stube, hinter dem kleinen Tisch, und Ihnen wohl manchmals als Geduldprobe diente. Mit meiner Gesundheit geht es immer sehr gut, und ich sehe mit großer Ruhe dem Augenblick meiner Entbindung entgegen. Gott wird ja alles zum besten wenden. Leben Sie wohl und gedenken Sie zuweilen

Ihrer Schülerin
Alexandrine

Ich sende Ihnen hier einige Schnupftücher, das Einzige, welches diesen Augenblick hier zu haben ist. Ich hoffe, Sie werden sie zu meinem Andenken tragen.

---

*) Luise, Alexandrines jüngere Schwester (1808 bis 1870), 1825 mit dem Prinzen Friedrich der Niederlande verheiratet

Genau vierzehn Tage später ist es soweit: Alexandrine schenkt einem gesunden Sohn das Leben. Über den Verlauf der Geburt ist uns nichts überliefert. Die zeitgenössische Presse meldet nur, daß sie „unter der Leitung des Geh. Medicinalraths Dr. Johann David Wilhelm Sachse glücklich verlaufen sei". Dieser Sachse, ein tatkräftiger Arzt und bedeutender medizinischer Schriftsteller, wird künftig alle weiteren Entbindungen der Erbgroßherzogin leiten. Als Paul Friedrich nach dem Tode seines Großvaters 1837 den Hof nach Schwerin zurückverlegt, wird Dr. Wilhelm Hennemann zum Großherzoglichen Leibarzt ernannt werden – wieder ein Bürgerlicher in Paul Friedrichs Nähe.

Das Kind erhält die Namen seines Urgroßvaters Friedrich Franz, und der alte Herr kann zufrieden sein – die Erbfolge des Hauses Mecklenburg-Schwerin ist im Mannesstamm für die nächsten zwei Generationen gesichert.

Schon ein gutes Jahr später wird das zweite Kind geboren – diesmal eine Prinzessin. Die „Neuen Annalen des Großherzogthums Mecklenburg-Schwerin", penibler Chronik-Teil des Staatskalenders, melden die Geburt für den 17. Mai 1824. Schon am Tag darauf wird Rittmeister von Kahlden nach Berlin abgesandt, um dort am königlichen Hofe, zwecks „Notificirung dieses frohen Ereignisses", dem königlichen Großvater Meldung zu machen. Der wiederum schickt seinen Sohn, Alexandrines Lieblingsbruder Wilhelm, mit seinen allerhöchsten Glückwünschen nach Ludwigslust, wo das

Prinzeßchen am 6. Juni 1824 auf die Namen Louise Marie Helene Auguste getauft wird. So geht es fort und fort – Ankunft, Abreise – höchste Personen geben der kleinen Residenz „mitten im Sande" die Ehre.

Prinz Wilhelm von Preußen,
Alexandrines Lieblingsbruder, etwa 1830
Nach einer Zeichnung von Franz Krüger

Im Sommer geht man nach Doberan. Auch hier, an des alten Fürsten Lieblingsplatz, trifft sich Europas Elite. Am Heiligen Damm, vornehmes Seebad seit 1793, wird doch weniger gebadet als flaniert. Man trägt Orden und Roben zur Schau, und es ist wohl ziemlich sicher, daß Prinz Friedrich und Prinzeßchen Louise nicht im Sand buddeln durften. Das ginge ja auch gar nicht, denn der Strand von Heiligendamm besteht auch heute noch, wie damals, aus nuß- bis faustgroßen Geröllen, aus denen hier und da tonnenschwere Findlinge ragen.

1826, die Kinder sind drei und zwei Jahre alt, bestellt Paul Friedrich den Maler, der seine Frau und den Nachwuchs auf die Leinwand bannen soll: Wilhelm Schadow, auch Schadow d. J. genannt, wird aus Berlin herbeigerufen. Warum wird nicht der Hofmaler des alten Großherzogs, Rudolf Suhrlandt, bemüht? Genügen seine Kunstfertigkeit und sein Malstil nicht der Anforderung?

Rudolf Suhrlandt hatte die Nase voll vom Ludwigsluster Hofleben und von den Entbehrungen, die seine Vorfahren im Dienste der Fürsten hatten erdulden müssen. Sein Großvater war als Hofmechanikus aus Niedersachsen nach Ludwigslust gekommen. Er war mit einer Schwester Johann Dietrich Findorffs (1722 bis 1752) verheiratet, der als Autodidakt alles an Malwerk zu verrichten hatte, was der Hof so brauchte – Fahnen, Schilder, Supraporten, kleine Porträts. Suhrlandts Vater vollendete später Findorffs Riesengemälde in der Ludwigsluster Kirche und kam über den mehr als bescheidenen Lebensstandard eines Hofkünstlers sein Lebtag nicht hinaus. Rudolf Suhrlandt selbst fand kein Vergnügen an den engen Verhältnissen seiner Familie und des Höfchens. Er wurde dennoch mit einem herzoglichen Stipendium nach Dresden auf die Kunstakademie geschickt und bildete sich zu einem recht guten Maler aus, der später fast nur noch im Ausland lebte, in Rom mit Thorwaldsen und Canova bekannt wurde und sich der Malschule der Nazarener anschloß. Suhrlandts Malweise war sowohl Paul Friedrich als auch und besonders Alexandrine zu schwulstvoll. Außerdem war man sich wohl nicht sicher, ob er überhaupt Lust verspürte, sich wegen eines solchen Auftrages wieder in die Enge der Ludwigsluster Gesellschaft zurückzubegeben. Zwar hatte ihm Friedrich Franz schon 1818 die Professorenwürde verliehen und ihm ein Haus in der Kanalstraße bauen lassen, aber schon 1820 floh Suhrlandt wieder das langweilige Dasein in Ludwigslust und ging auf ausgedehnte Reisen. So war er auch nicht greifbar.

Wilhelm Schadow hingegen stand der königlichen Familie in Berlin schon durch das Schaffen seines genialen Vaters Johann Gottfried nahe. 1797 hatte der alte Schadow jenes berühmte marmorne Doppelbildnis der Prinzessinnen Luise und Friederike von Mecklenburg-Strelitz geschaffen, das bis heute als das bildhauerische Glanz- und Meisterstück des deutschen Klassizismus gilt. Alexandrine, die ihrer Mutter in vielem ähnlich war, freute sich über Schadows Besuch und nahm gern die Gelegenheit wahr, mit dem Künstler während der Modellsitzungen zu plaudern, Neuigkeiten aus der Berliner Kunst- und Theaterszene zu hören. Nur das völlig zwanglose Verhältnis zwischen Maler und Modell konnte zu so einem gelösten, heiteren und fast bürgerlichen Gruppenbild führen, wie Schadow es schließlich schuf. Wir wissen nicht, welches Honorar Schadow für sein Werk empfing – eine Anekdote will wissen, es sei das königliche Salair von 100 Louisd'Or gewesen, eine andere berichtet, Alexandrines Vater, der

König F. W. III., habe, als er des Bildes ansichtig geworden, den Schöpfer stante pede zum Direktor der berühmten Düsseldorfer Kunstakademie berufen. Dies nun allerdings tat der König wirklich, nachdem Schadows Kollege Peter Cornelius 1825 um seine Entlassung gebeten hatte, ob aber wirklich das Bild ... Schadow vermied, obwohl auch er sich zu den Nazarenern gezählt hatte wie Suhrland, jeglichen Schwulst. Er setzte sein Modell auf ein rotes Sofa. Alexandrine trägt ein schulterfreies violettes Kleid mit weißen Puffärmeln und einer gleichfalls weißen Bordüre (heißt das so?) von Schulter zu Schulter. Von einer kleinen Brosche am Busen abgesehen, trägt die Erbgroßherzogin keinerlei Schmuck, nur einen schmalen Ehering am rechten Kleinfinger.

Man muß an die mehr als höfliche Bemerkung denken, die Napoleon beim Anblick der Königin Luise gemacht haben soll: *„Sie, Madame, brauchen keine Diamanten – Sie sind selbst ein Diamant!"* Wirklich, unsere Alexandrine ist sehr schön auf dem Bild, und Halsketten, Agraffen im Haar oder Ohrringe würden von der Tatsache nur ablenken. Aber sie weiß das auch; sie verbirgt ihr Selbstbewußtsein nicht. Sie blickt sinnend nach links aus dem Bild und hält ihre kleine Tochter Luise mit beiden Armen auf ihrem Schoß umfangen. Meine Bewunderung gehört dem Maler für die Darstellung der Hände – eine der schwierigsten Aufgaben der Malerei. Das Kind hat das blonde Köpfchen in behüteter Schläfrigkeit zur Seite geneigt und sieht den Maler voll an. Es ist ganz in Weiß gekleidet, trägt Bordüre und Puffärmelchen wie Mama und winzige Kinderschuhe mit einem Knöchelband, wie sie die Mütter ihren kleinen Töchtern noch heute anziehen. Links (vom Betrachter) steht Friedrich Franz in der Frische seiner vielleicht dreieinhalb Jahre auf dem Sofa, hat seiner Mutter die Linke um die Schulter gelegt und zielt mit dem Apfel, als wolle er ihn jemandem zuwerfen, in der erhobenen Rechten. Er trägt einen praktischen russisch-grünen Russenkittel mit seitlichem Halsverschluß und gleichfarbige Tobehosen. Ein kleiner Bengel, der schon weiß, was er will. Schadow hat die drei Menschen in einer bemerkenswert natürlichen Pose abgebildet – die Kinder als Ganzfiguren, die Frau im Zentrum als Kniestück. Nichts da von Heroinenmalerei, keinerlei Pomp, dafür Natürlichkeit und Anmut und Liebenswürdigkeit.

Für mich, ich habe es schon mehrfach bekannt, gehört dieses Bild – zusammen mit Anthonis Palamedes' Kinderbildnis der Anna Constantia de Beijwegh mit ihrem Hündchen – zu den schönsten Kunstwerken, die die Landeshauptstadt besitzt, und ich glaube, daß dieses Bild mich überhaupt auf die Idee gebracht hat, das Leben der Großherzogin zu beschreiben, mehr jedenfalls, als das erhabene und gestrenge Altersdenkmal in weißem Marmor, das Hugo Berwald 80 Jahre später für den Grünhaus-Garten schuf. Aber darüber später – wir kehren noch einen kleinen Moment in unsere Bildbetrachtung zurück und bemerken, wenn wir uns endlich vom Anblick der kleinen Menschengruppe losreißen können, daß im Hintergrund Mecklenburgs Meer in satter, sommerlicher Bläue und kaum bewegt auf den Strand von Heiligendamm läuft. Sicher hat Schadow diesen Hintergrund auf Wunsch

Alexandrine mit ihren Kindern Friedrich Franz und Luise
Gemälde von Wilhelm Schadow, 1826
Schloßmuseum Schwerin

der Erbgroßherzogin gewählt, denn Heiligendamm ist von Anfang an für alle Sommer ihres künftigen Lebens ihr Lieblingsort.

Blick auf Heiligendamm, Lithographie,
19. Jahrhundert

Heiligendamm – die Literatur über dieses Kleinod an der Ostsee ist uferlos. Mit dem Mutterort Doberan untrennbar verbunden, wurde der 1793 von Friedrich Franz I. gegründete erste deutsche Seebadeplatz zum Treffpunkt der europäischen Beau-Monde. Sicher – Biarritz und Brighton überholten Heiligendamm später um Längen und wurden zu Weltbädern.

Heiligendamm aber war für Jahrzehnte das deutsche Brighton. Hier schuf sich Friedrich Franz I. alles, was er liebte: ein Seebad, eine Rennbahn und ein Spielcasino.

Alexandrine, als sie die Pracht das erstemal sah, war sofort hingerissen und begeistert. Man muß nun nicht denken, daß an diesem schönen Platz nur die „große Welt" ihr Vergnügen und ihre Zerstreuung suchte. Auch „das Volk" war – in Maßen, versteht sich – zugelassen. Anekdoten laufen um, die das belegen, wie jene von dem Rostocker Töpfermeister, der, als er gemeinsam mit dem Großherzog sein Geld verloren hatte, auf dessen Frage, was man nun tun solle, geantwortet hat: „Ik dreih nu wedder Pött, un Se, Kö'liche Hoheit, schrieb'n 'ne niege Stüer ut!" Daran mag man glauben oder auch nicht. Sichere Berichte jedenfalls melden, daß während der Rennsaison auch sogenannte Bauernrennen abgehalten wurden, wo die Bauern und Pferdezüchter der Umgegend auf ungesattelten Pferden und mit ihren runden Hüten („Suppentöpfen") auf dem Kopf wilde Parforcen ritten, während der Adel den Parcours zigarrenrauchend umstand und sich seinen züchterischen Nachwuchs ausguckte. Und ebenso sicher ist die Überlieferung, daß beim Volksfest auf dem Kamp zu Doberan die Erbgroßherzogin im Reitdreß über den Rasen walzte, zu ländlicher Blasmusik, und von „jedermann" sich zum Tanz bitten ließ, um zwischendurch mit den „hübschesten Bauerndirnen" im „Trichter", dem größeren der beiden chinesischen Pavillons, Champagnerbowle zu schlürfen. Paul Friedrich indessen stand mit seinen adligen und bürgerlichen Freunden unter den schattenden Bäumen am Platzrand und dampfte genüßlich seine dicke Havannah. Das alles kommt einem heute vor wie ein biedermeierliches Märchen und – wir wollen es glauben – es war wohl auch eines.

Zu Doberans Badegästen und Rennfavoriten jener Jahre kommen wir noch, wenn wir die Badelisten studieren. Einen (oder zwei) können wir gleich jetzt in Augenschein nehmen – die Jockeys, Reitstallbesitzer, Globetrotter und Gentlemen Apperley und Tattersall. Tattersall, William jr., Enkel des britischen Kronstallmeisters Richard Tattersall (1724 bis 1794), und sein Rivale und Kollege Charles James Apperley waren in den zwanziger Jahren des 19. Jahrhunderts Stammgäste in Doberan. Apperley hat dort 1829 einen Goldpokal gewonnen und über seine Reit- und Lebenserfahrungen in Deutschland ein heute noch mit Vergnügen zu lesendes Buch verfaßt: „Nimrods Tagebuch" erschien zunächst als Kolumne 1829 in der englischen Sportzeitschrift „Sporting Magazine" und zeichnet sich durch eine ziemlich moderne Sprache aus, wie sie in Deutschland selbst zu jener Zeit kaum denkbar war.

Jener Sportsman ritt 1829 mehrere Rennen in Doberan und war von der Erbgroßherzogin hingerissen. *Ich muß nachholen, daß ich heute die große Ehre hatte, der Erbgroßherzogin vorgestellt zu werden, eine Ehre, die noch dadurch erhöht wurde, daß ich Ihrer Königlichen Hoheit nicht durch den diensttuenden Adjutanten, sondern durch höchstderen Gemahl vorgestellt wurde. Wollte ich auch einen Versuch machen, es würde mir doch nie gelingen, meinen Lesern ein richtiges Bild von der Jugend, der Liebenswürdigkeit und Schönheit der Erbgroßherzogin von Mecklenburg-Schwerin zu geben; aber als Perle der deutschen Frauen muß ich Ihrer Königlichen Hoheit noch einige Zeilen widmen. Diese Prinzessin hat eine gewinnende Liebenswürdigkeit und eine wunderbare Schönheit, die im Verein mit ihrem hohen Rang sie unwiderstehlich macht. Ich glaube, ein glücklicheres Paar wie das erbgroßherzogliche gibt es nicht auf Erden; möchte ihnen ein dauerndes Glück beschieden sein!*

Nachdem Apperley das Rennen um den Goldpokal der Erbgroßherzogin gewonnen hat, wendet er sein Pferd, um die Trophäe aus Alexandrines Händen entgegenzunehmen. Es regnet in Strömen; man bietet ihm einen Mantel an, er *lehnte jedoch ab, um der Herzogin zu zeigen, daß ich höchstderen Farben Blau, Gelb und Rot zum Siege getragen hatte.*

Jede Zeit produziert die ihr eigenen Treppenwitze. Der hierzu passende geht so: Apperley muß, als er später über die mecklenburgisch-preußische Grenze bei Wittstock reist, um das auch damals schon berühmte Gestüt in Neustadt an der Dosse zu besuchen, den von Alexandrine, also des Preußenkönigs Tochter, empfangenen Goldpokal verzollen. Tatsächlich!

Apperley beschreibt anschaulich das gesellschaftliche Leben im damaligen Doberan: *Es war ein schöner Abend, und der jüngere Teil der Hofgesellschaft vergnügte sich auf dem Rasen* (des Kamps) *mit einem Spiel, das an „Blinde Kuh" erinnerte; unter den Mitspielenden wurde mir die junge*

Erbgroßherzogin gezeigt, um deren Pokal ich morgen reiten sollte. Für englische Ohren klingt es befremdlich, daß Fürstlichkeiten sich um neun Uhr zur Abendtafel setzen ... Auf dem Kontinent ist jedoch die Tageseinteilung eine andere, und um Punkt neun setzten wir uns an der Table d'hote in Doberan zum Souper, mit Souveränen und Fürsten, zwischen Herzögen und Herzoginnen, unter Edelleuten aller Länder, gewiß 150 Personen im ganzen. Baron Biel*) hatte dafür gesorgt, daß wir in seinem Bekanntenkreis Platz fanden. So saßen wir (Apperley und Tattersall) *an einem Tisch mit Graf und Gräfin Bassewitz* (wovon es freilich so viele gibt, daß wir die Frage: Welche Bassewitze? nicht beantworten können. J.B.)*, Graf und Gräfin Voß* (auf Groß Gievitz)*, Graf Hahn* (auf Basedow) *und Graf Putbus, einem Bruder des Fürsten von Rügen. Die Herren waren sämtlich Sportsmen, die dem Rennen mit großer Spannung entgegensahen. Wir waren überrascht, daß die Genannten sämtlich Englisch sprachen. In der guten Gesellschaft macht sich der Vorrang der Geburt stets bemerkbar – das Erheben der fürstlichen Herrschaften gab bald nach zehn Uhr das Zeichen zum allgemeinen Aufbruch. Eine Viertelstunde später war der Speisesaal verödet, und da alle öffentlichen Vergnügungslokale für die Nacht geschlossen sind, so blieb uns nichts anderes als das Bett.*

---

*) Wilhelm Heinrich von Biel, Gutsherr auf Zierow

Der Jockey aus England als Stargast der Hofgesellschaft – warum nicht. Die Hofgesellschaft war an Stargästen stets interessiert, und es mangelte auch nicht an ihnen. Alexandrines und Paul Friedrichs reges Interesse am Theater führten immer wieder zu Einladungen an prominente Schauspieler und Sänger. Auf der Höhe ihres Ruhmes waren auch Jenny Lind, die „schwedische Nachtigall", und Angelica Catalani, berühmteste Sopranistin ihrer Zeit, in Doberan zu Gast. Die Catalani hatte sich den Bassewitzens, von denen wir nicht genau wissen, um welche es sich handelt, angeschlossen. Als sie die beiden halbwüchsigen Söhne des Grafen am Strand antraf, zauste sie ihnen freundschaftlich die Haare, und einer der beiden rief entsetzt: „Aber Madame, wir haben doch Läuse!" Wie gut, daß die Catalani kein Wort Deutsch verstand. Auch das ist die Welt des neunzehnten Jahrhunderts und der guten Gesellschaft in Doberan.

Apperley, als er mißmutig über die frühe Polizeistunde sein Bett aufsuchen muß, macht die mokante Bemerkung, daß es *nur zwei Fuß breit sei* (also 60 cm!! J.B.) und *an den Unterboden eines englischen Sophas* erinnere. Und weiter: *Es heißt in der Bibel: „Verflucht soll sein, wer Mann und Weib voneinander scheidet", folglich muß jeder Bettenfabrikant in Deutschland verflucht sein, denn in seinen Machwerken kann nie ein Mann mit seiner Frau zusammen schlafen ... Ich muß gestehen, daß ich in Deutschland* (außer in Zierow beim Baron von Biel) *nie in einem Bett geschlafen habe, daß diesen Namen verdient hätte.*

Nun, Alexandrine und Paul Friedrich schliefen sicher besser und bequemer. Ihre Sommerwohnung befand sich zunächst im Palais am Doberaner Kamp, das der Baumeister Theodor Severin, ein Schüler von Carl Gotthard Langhans, schon 1806 errichtet hatte. Viel später erst, nach dem Tode des alten Großherzogs und als aus der Erb- eine Großherzogin geworden war, baute Demmler seiner schönen Gebieterin eine eigene Sommervilla an den Heiligendammer Strand, das sogenannte Alexandrinencottage. Es wurde 1840 fertig.

Schon bald nach ihrer Hochzeit, in ihrer ersten „Doberaner Saison", zogen die jungen Eheleute in ein Haus, daß der Baumeister ursprünglich für sich selbst gebaut hatte. Es lag (und liegt) am Südende des Kamps am Alexandrinenplatz. Der Meister durfte sich genau gegenüber ein fast gleiches Haus errichten. Das Haus an der Ostseite des langgestreckten Platzes heißt im Volksmund bis heute Prinzenpalais; Severins Wohnhaus an der Westfront trägt den Namen Gottesfrieden. Wir Heutigen fragen uns, wie die Hofgesellschaft während des sommerlichen Aufenthaltes in „Brahn" und „am Damm" versorgt und verpflegt wurde. Welch ein Troß von Bedienten mußte dort gehalten werden, um den Betrieb abzuwickeln! Zum Teil wurde die Dienerschaft aus Ludwigslust und Schwerin mitgebracht; andere niedere und höhere Bedienstete wohnten am Ort. Einer der wichtigsten, der Oberhofküchenmeister Gaetano Medini (1772 bis 1857), ließ sich ein kostbares bürgerliches Palais an der Nordseite des Kamps (heute Severinstraße) errichten. Er stammte aus Mailand und hatte wohl, als kluger Geschäftsmann, früh erkannt, daß Doberan eine Goldgrube für Leute seines Metiers sein könnte, wenn man es nur richtig anstellte. In Größe und Ausdehnung stand das Palais des Kochs dem des Erbprinzen keinesfalls nach, und wir dürfen annehmen, daß Gaetano Medini bei der Einweihung seines Hauses 1825 auch die allerhöchsten Herrschaften zu einem Diner empfing.

Allerdings hat Chefküchenmeister Gaetano Medini, dessen Truthahnpasteten berühmt waren und der auch das Schokoladenmousse erfunden hat (eisgekühlte Trinkschokolade mit Sekt gemischt), nicht immer eine glückliche Hand gehabt. Unser Apperley kritisiert, daß es bei der Table d'hôte nach seinem Pokalgewinn „großes Gedränge und schlechtes Essen gab". Da gab man sich nicht soviel Mühe, und es war wohl auch, mit der damaligen Küchentechnik, gar nicht so einfach, ein paar hundert oder gar ein paar tausend Menschen abzufüttern. Ein Berliner Journalist bricht 1829 in seiner Zeitung in Verzweiflungsrufe aus: *Die Rennen waren excellent. Aber die Betten und die Poularden, die Poularden! Da wendet sich der Gast ... – lesen sie weiter bei Schillern.*

Alexandrine und Paul waren indessen bei all diesen Lustbarkeiten nicht so ganz froh, denn dieses Hin- und Hergeziehe zwischen Doberan und Ludwigslust und hier und da Schwerin ging beiden auf die Nerven. Vor allem das Theater war es, das der jungen Erbgroßherzogin fehlte. In Berlin hatte sie jede Premiere im Schauspielhaus und im Opernhaus Unter den Linden erlebt. In der königlichen Loge empfing sie die Huldigungen ihrer Verehrer, hier plauschte sie mit Elisa von Radziwill, dem Jugendschwarm ihres Lieblingsbruders Wilhelm. Diese Herzensangelegenheit, über die sie mit „Willi" eifrig korrespondierte, konnte indes nicht zu einem glücklichen Ende kommen, denn die Radziwills, ein uraltes polnisch-schlesisches Fürstengeschlecht, waren dem königlichen Rang nicht ebenbürtig. Umso mehr versuchten sie, die Liaison zu fördern, und umso eifriger unternahm Friedrich Wilhelm III. alles dagegen. Im Jahr 1822, dem Jahr der Eheschließung Alexandrines, setzte das harsche „Nein!" des Königs der Romanze ein Ende. Das ganze ist ein Roman für sich, dessen späte Wirkungen sich noch eine ganze Weile hinziehen. Alexandrine „Adine" versucht, den Bruder zu trösten, aber es hilft nicht viel. Wilhelm ist und bleibt ein Pechvogel. Erst 1829 rettet er sich in die Ehe mit einer standesgemäßen Person, der Prinzessin Augusta von Sachsen-Weimar. Die ist 14 Jahre jünger als er und zum Zeitpunkt der Hochzeit erst 18 Jahre alt. Zuvor waren noch andere Brautwerbungen versucht worden, zu denen der König seine Zustimmung gegeben hatte. Alexandrine selbst setzt uns in einem Brief an Wilhelm ins Bild – die Werbungen betrafen Pauline von Württemberg (Alexandrine: *Ich habe nur Gutes von ihr gehört, nur – sie hört schwer.*) und Cäcilie von Schweden, deretwegen König Friedrich Wilhelm sogar bereit war, wieder mit seinem Sohn, den er möglicherweise für einen Bonvivant und, wie Mecklenburgs Volk es ausdrücken würde, einen *vigilanten Susänger* hielt, zu sprechen. Nicht so Adine. Als er sich endlich für Auguste von Sachsen-Weimar entschied,

schreibt sie ihm: *Auguste wird so von allen Seiten gelobt, daß ich sie (jetzt) schon liebe.* Mit anderen Worten: So nimm sie endlich, Bruderherz, damit wieder Frieden ist. Er nahm sie. Er war immerhin 51 Jahre lang mit ihr verheiratet. Von allzu großen geistigen Gaben war sie nicht. Bisher ist es mir nicht gelungen herauszufinden, ob Alexandrine an der Hochzeit teilgenommen hat. In ihrem Geburtstagsbrief (22. März 1830) an den Bruder schreibt Alexandrine: *Auguste ist wirklich eine gar liebe Person, sie ist jung und mag Dich manchmal nicht ganz befriedigen, doch gewiß liebt sie Dich und möchte Dir gern Dein Leben verschönern, sie ist so kindlich fromm und reinen Herzens, sie ist verständig, man kann mit ihr eine vernünftige Unterhaltung führen ...*
Da kommt schon Alexandrines treffsicheres Menschenurteil zum Tragen, das sie später so ausgeprägt besaß. Er, Wilhelm, antwortet mit zierlichen Umschreibungen, *... daß sie sich oft in Diskussionen einläßt, die sie allerdings mit voller Umfassung des Gegenstandes durchführt, die aber eigentlich über ihre Sphäre gehen ...* (Brief Wilhelms vom 26. 3. 1830).
Adines eigene Ehe mit ihrem Paul scheint ziemlich ungetrübt zu sein. Nur mit Schwiegeropa Friedrich Franz I. gibt es immer neue Dissonanzen. Wir waren ja vom Theater ausgegangen und in unserem Exkurs bei Preußenprinz Wilhelms Liebesquerelen gelandet – kehren wir nun zum Theater zurück.

*

71

Schon längere Zeit hatten Paul und Adine ihrem Großvater deswegen in den Ohren gelegen. Das alte Ballspielhaus am Alten Garten in Schwerin, in seinen äußeren Formen dem Schauspielhaus in Neubrandenburg nicht unähnlich, war nach und nach zu einer Bruchbude herabgekommen. Der Fachwerkbau stammte noch aus der Zeit des Herzogs Friedrich Wilhelm und befand sich etwa zwischen dem Alten Palais und dem heutigen Staatstheater. Das Haus war 1698 fertiggestellt worden und diente allerlei höfischen Belustigungen und Versammlungen. Paul Friedrich hatte, von Alexandrine heftig gedrängt, den alten Rumpelkasten noch einmal ausflicken und sogar mit einer Heizung versehen lassen. Demmler, der bürgerliche Freund des Hauses, hatte die Umbauarbeiten geleitet, aber es nützte nichts, denn schon am 23. April 1831 brannte der mehr als primitive Saalbau bis auf die Grundmauern nieder. Man hatte an jenem Abend „Die Stumme von Portici" gegeben, die romantische Revolutionsoper von Daniel François Auber nach dem Textbuch von Eugen Scribe und Germain Delavigne. Diesem Spektakel war wohl das alte Haus nicht gewachsen, und so bewahrheitete sich die Arienzeile des Massianello: „Jetzt rächt sich falsches Erbarmen."

Es war falsch gewesen, sich des alten Theaters noch einmal zu erbarmen, und Paul Friedrich sann sofort auf einen Neubau. Das aber paßte dem Alten in Ludwigslust ganz und gar nicht ins Konzept und in seine Schatulle.

Schon der Neubau des Kollegiengebäudes, das 126 000 Taler gekostet hatte, war ihm ein Dorn im Auge gewesen. Er sah schon voraus, daß sein Enkel Paul – mit allem Respekt zwar, aber dennoch – darauf spekulierte, den Sitz der Residenz, sobald er selbst Großherzog geworden sein würde, nach Schwerin zurückzuverlegen. In Ludwigslust hielt er sich ohnehin kaum auf. In Schwerin indessen drängte er aufs Bauen – die Residenz konnte so, wie sie noch 1822 gewesen war, nicht bleiben. Paul wollte eine moderne und glanzvolle Hauptstadt, und Friedrich Franz genügte alles, wie es war. Er hatte sein Doberan und seinen Heiligen Damm, er hatte sein trautes Lulu und seine Ruhe.

So bekam Demmler, der strebsame junge Mann aus Schinkels Schule, den Auftrag zu einem Schauspielhaus, das zwar massiv und feuersicher, aber, bitteschön, möglichst billig zu sein hatte. Demmler wird der Auftrag nicht so besonders gefallen haben. Eben hatte er das immerhin monumentale Kollegiengebäude fertiggestellt mit all seinen Sälen und Säulen, seinen Fresken und Figuren, und nun sollte er so ein Zwergtheaterchen danebensetzen. Er fügte sich zunächst, wie sollte er auch anders, aber er konspirierte schon eifrig mit dem Erbgroßherzog, der natürlich ein richtiges Schauspielhaus wollte. Friedrich Franz war dann auch mit den von Demmler eingereichten Rissen zufrieden. Paul und Alexandrine hingegen waren sehr enttäuscht, nicht von Demmler, denn der war ja, wie sie beide wußten, zu Größerem fähig, aber von ihrem Grandpapa. Sie fanden das Ding provinziell. Kein Konzertsaal, kein Bankettsaal, alles eng, 300 Plätze, keine Galerien und Ränge, das Foyer „ein besseres Pförtner-Logis". Sie motzten, wie wir es heute nennen würden. Sie seien, so erklärten sie dem alten Herrn, schließlich in ihren „besten Lebensjahren" (Jesse). Stellen wir uns die Unterredung vor, wie sie im Winter 1831 im Ludwigsluster Schloß vor sich ging, so wird sie heftig gewesen sein. „Wenn man nicht einmal in Schwerin – von Lulu und Doberan ganz zu schweigen – ein anständiges Theater" habe, so werde man eben den Winter über nach Berlin gehen oder „anderweitig im Ausland" (Jesse) leben müssen. Hat Adine mit dem zierlichen Fuß aufgestampft? Oder hat sie dem alten Obotriten (Friedrich Franz war zum Zeitpunkt dieser Vorgänge immerhin schon fünfundsiebzig Jahre alt) gurrend den Backenbart gekrault? Wir wissen es nicht, aber wir wissen, daß F. F. nachgab. Jedenfalls reiste Demmler mit seinem jungen Gönner nach Berlin. Nur zur Erinnerung: Dieser Demmler war eben 27, sein fürstlicher Freund gerade 31. Demmler tat sich in Berlin um, besuchte alle Theater, füllte sein Skizzen- und Notizbuch. Dann legte er gleich nach seiner Rückkehr seinen neuen Entwurf vor. Der Alte knurrte, aber stimmte zu. 60 000 Taler sollte die Chose kosten. Die Bauleute legten sofort los. Sie benötigten für den ausladenden Bau (60 Meter lang, 29 Meter breit) immerhin drei Jahre. Am 17. Januar 1836 wurde das neue Schauspielhaus eingeweiht. Es hatte 600 Plätze und alle modernen technischen Einrichtungen, die man damals kannte. Zur Einweihung spielte man Ernst Raupachs „Schule des Lebens", ein ziemlich sentimentales und romantisches Rührstück. Raupach war in Mode; man spielte ihn überall. Der Pfarrerssohn aus Straupitz in Schlesien hatte sich im Laufe seines unsteten Lebens zunächst durch ein Theologiestudium in Halle gesoffen und nach eingetretener Reue nebst Leberzirrhose eine Hauslehrerstelle angenommen. Dann holte ihn sein Bruder nach St. Petersburg, wo er es immerhin bis zum Professor brachte. 1822, als Alexandrine und Paul heirateten, kehrte er nach Schlesien zurück, ging später nach Weimar und beschloß sein Leben 1852 in Berlin, wo er seit 1824 gelebt hatte.

War Raupach nun Adines und Pauls Geschmack? Sicher ist nur: es war der Geschmack der Zeit. Demoiselle Hirschmann sprach eine gereimte Rede des Herrn zur Nedden und gab die Donna Isaura, Tochter des Don Alfonso, Königs von Kastilien, der von Herrn Klarenbach gespielt wurde. Paul und Alexandrine kannten alle Schauspieler, denn jedes Jahr im Sommer reiste die Schweriner Truppe nach Doberan, und man kann in den akkuraten Badelisten nicht nur das Datum der Ankunft, sondern auch die Namen aller Schauspieler und Musiker nachlesen.

Das 1836 eingeweihte Schauspielhaus am Alten Garten war wohl praktisch und modern eingerichtet, aber ein Geniestreich wie das benachbarte Kollegiengebäude war es nicht. Daran konnte auch der zierliche Giebelfries über dem Hauptportal an der Westseite des kastenförmigen Hauses wenig ändern. Wie bei kaum einem anderen öffentlichen Gebäude ist die äußere Struktur eines Theaters seinem inneren Zweck unterworfen. Da Demmlers Schauspielhaus keinen Bühnenturm besaß, mußte es in seiner Gesamtheit sehr hoch sein. Auf einer der wenigen wirklich guten Abbildungen, die die Nachwelt von diesem Haus besitzt, ein

Das neue von G.A. Demmler entworfene Schauspielhaus
am Alten Garten in Schwerin
Zeitgenössische Lithographie

Stahlstich nach einer Zeichnung von Julius Gottheil aus dem „Mecklenburgischen Album" von 1856, sieht man deutlich die Disproportionen im Verhältnis zur Umgebung und in der Baugestalt selbst. Das massige Gebäude war in seinen Ausmaßen ebenso mächtig wie das Kollegiengebäude, ihm fehlte jedoch dessen klassizistische Eleganz. Die unterschiedlich hohen Geschosse – ein flaches Souterrain, darüber ein niedriges Mittelgeschoß und oben ein überzogen hohes Obergeschoß – mindern den harmonischen Eindruck. Zu alledem mußte Demmler das ungewöhnlich hohe Dachgeschoß mit einer Arkade von 15 Vorhangbögen zum Alten Garten hin kaschieren und die Vertikalität der langgestreckten Fassade mit Hilfe von Pilastern, die die Vorhangbögen unterm Dach trugen und bis zum Erdboden durchliefen, herbeizaubern. Aber kam es aufs Äußere an? Alexandrine und Paul hatten endlich ihr standesgemäßes Theater. *Denk Dir, lieber Willi, wie schön es geworden ist! Selbst Großpapa war ganz gerührt, was mich sehr wieder mit ihm versöhnte.*

So schreibt Alexandrine an den geliebten Bruder. Der Grund der Rührung des alten Herrn kann natürlich auch die für damalige Verhältnisse riesige Summe von 100 000 Talern gewesen sein, die Demmlers Theaterbau am Ende wirklich gekostet hat.

Aber, wie es uns beim Betrachten dieser versunkenen Lebenswelten so geht – wir haben vorgegriffen. Immerhin vergehen ja fünfzehn lange lange Jahre zwischen Hochzeit und Thronbesteigung.

*

Das Wort Thronbesteigung hat natürlich etwas Theatralisches. In Wirklichkeit ist der Thron ein eher symbolisches Sitzmöbel. Jenen Thronsessel, den die Touristen im Thronsaal des Schlosses zu Schwerin ehrfürchtig bestaunen und bewundern, den gab es noch nicht 1837, nicht einmal den prunkvollen Thronsaal gab es, alles war doch noch um etliches bescheidener zu Zeiten des alten Friedrich Franz und des jungen Paul Friedrich. Fünfzehn Jahre mußte das Ehepaar warten. Das hatte den Nachteil, stets nur die zweite Geige zu spielen und in fast allen wichtigen Dingen des Lebens dem Urteil und der Entscheidung des alten Großherzogs unterworfen zu sein. Es hatte aber auch den Vorteil, daß Alexandrine und Paul als reife, erfahrene Menschen die Regierung übernehmen konnten, nachdem Friedrich Franz gestorben war.

Was macht man, fünfzehn Jahre hindurch, als Erbgroßherzogin und Erbgroßherzog? Man reist oder reißt aus.
Jedes Jahr im Januar begab sich das Paar nach Berlin. Das waren die seligsten Reisen der jungen Frau – Berlin und Potsdam waren die Heimat, und auch Paul fühlte sich dort wohl. Man blieb zwei Monate dort, bis Mitte oder Ende März, besuchte die Bälle der Saison, gab selbst welche, fuhr ins Theater. Paul hatte manchmal militärische Dinge zu erledigen, schließlich war er Offizier. Einmal, 1826, mußte er Alexandrine allein in Berlin zurücklassen, um gerade noch rechtzeitig, zur Beisetzung seines Onkels, des Zaren Alexander, und zur Inthronisation seines Cousins, des Zaren Nikolaus, in St. Petersburg einzutreffen.

Kaum war man in Ludwigslust zurück, wurden Familien-
angelegenheiten geregelt, wurden Kinder geboren und
getauft (so am 17. Mai 1824 das Prinzeßchen Luise),
Besuche empfangen, Paul zog in irgendwelche Manöver, und
Alexandrine mußte am Stickrahmen sitzen, die Kinder
erziehen und warten, bis er wieder da war. *Du fehlst mir so,
mein liebes Männchen!*
Wenn der Sommer anbrach, ging es schnurstracks nach
Doberan. Der alte Großherzog war schon Anfang Juni,
manchmal Ende Mai nicht mehr zu halten – sein liebster
Sommeraufenthalt lockte ihn mit Macht. Alexandrine und
Paul folgten Anfang Juli. Nur 1827 und 1828 unterblieben
die Sommeraufenthalte der beiden. Im April 1828 hatte
Alexandrine ein totes Kind geboren. Dr. Sachse riet nach
ihrer Genesung dringend zu einer Kur in Pyrmont, wohin sie
auch, von Paul fürsorglich begleitet, im Juni reiste. Da mußte
Doberan einmal zurückstehen, und im Jahr zuvor war Prinz
Friedrich Wilhelm, im Februar geboren, noch zu klein, als
daß sie sich hätte von ihm trennen oder ihn mitnehmen
wollen.
Sonst aber: jeden Sommer! Man blieb meist bis Ende August
in Doberan und am Heiligendamm, genoß die Rennen, die
Gäste, das Roulette, das Theater und die Musik. Und jedes
Jahr eilten, meist schon vor Alexandrines und Pauls Ein-
treffen, das komplette Ensemble des Hoftheaters und die
Hofkapelle nach Doberan.
War die Saison vorüber, gingen die beiden für ein paar Tage
nach Ludwigslust zurück, um dort angefallene Angelegen-

heiten zu ordnen. Anfang September schon war man der Sandresidenz wieder müde und flüchtete erneut nach Berlin. Erst Ende Oktober, manchmal auch noch im November, kehrte man nach Ludwigslust zurück.

Interessante Ereignisse in jenen fünfzehn Jahren melden die Annalen des Staatskalenders. So gab es am 1. Januar 1825 ein Erdbeben in Mecklenburg. Das Epizentrum lag in dem Dörfchen Granzin im Amt Lübz; dort sollen einige Dachziegel von der Kirche und der Schulzenknüppel von der Wand des Dorfgewaltigen gefallen sein. Ein dumpfes Grollen habe die Luft erfüllt und zwei Pferde auf der Weide erlitten einen Herzschlag.

1824, 1825 und noch einmal 1826 „entsorgte" die großherzogliche Regierung das Güstrower Landarbeitshaus und ließ insgesamt rund 300 „Individuen", Landstreicher, Diebe, obstianate Querulanten, leichtsinnige Frauenzimmer, Halunken und Bettler (alle Begriffe sind Terminologie der Zeit) nach Brasilien deportieren („freiwillig"). Das konnte nur mit der Einwilligung des Großherzogs geschehen und war vielleicht ein Nachhall des 18. Jahrhunderts, als man auch ganz gesetzestreue Landeskinder in ansehnlichen „Stückzahlen" als Soldaten an fremde Mächte vermietete – allein 1788 waren es 1000 mecklenburgische Bauernsöhne, das Stück für 37 Taler. Im Falle der „Inkulpaten" verfuhr man so, daß man ihnen Begnadigung und Entlassung anbot, aber eben nur – nach Brasilien. Kaiser Pedro I., er hatte Brasilien 1822 endgültig für unabhängig erklärt und sich selbst zum Kaiser gekrönt, brauchte Soldaten und Kolonisten. Ob die (un)braven

80

Mecklenburger dafür taugten? Geld jedenfalls gab Pedro
nicht für die Leute; der Gewinn für Mecklenburg bestand
wohl darin, daß man sie nicht mehr zu ernähren brauchte.
Was wußte Alexandrine von diesen Vorgängen? Billigte sie
sie? Fühlte sie sich davon betroffen?

Die Jahre 1830, 1831 und 1832 waren voll von Aufregungen
und Katastrophen, und sie scheinen auch, was Alexandrines
und Pauls Verhältnis zum alten Großherzog angeht, Krisen-
jahre gewesen zu sein. Der Staatskalender, der sonst in seinen
„Neuen meklenburgischen Annalen" keine Meldung über das
Befinden und die Reisen der beiden ausläßt, tut 1830 und
1831 so, als gäbe es sie gar nicht.
Nach einer längeren Abwesenheit 1829 – die beiden waren
nur für sechs kurze Wochen im April und Mai in Ludwigslust
gewesen und dann für ein halbes Jahr „entschwunden",
unter anderem nach Paris – scheint 1830 kein so gutes Jahr
gewesen zu sein. Nun, Europa befand sich ohnehin in Aufregungen, und selbst in Schwerin hatte die Pariser Juli-
Revolution ihr Echo gefunden. Vor dem Gebäude der
großherzoglichen Münze hatte sich eine große Volksmenge
angesammelt. Eine Wache, die die Gold- und Silbervorräte
der Prägestätte bewachen sollte, war zu schwach besetzt, um
die Menschen zurückhalten zu können. Stadtkommandant
Oberst von Kamptz erschien schließlich mit Soldaten und
ließ über die Köpfe der Menge feuern. Dabei kam, wohl
durch einen Querschläger, ein Braunschweiger Seilergeselle
namens Starost zu Tode. Paul Friedrich erschien am nächsten

Tag mit dem Gardebataillon aus Ludwigslust und nahm die Sache selbst in die Hand, stellte eine Bürgerwehr auf (Jesse berichtet, daß auch die Oberklassen des Gymnasiums das Gewehr ergriffen) und wurde binnen kurzem Herr der Situation. Alexandrine zitterte: Man hatte geschossen! Das war ihr eigentlich gar nicht recht, aber Paul beruhigte sie und den Minister von Plessen: *Hier ist weiter nichts vorgefallen. Der Geist unter den Bürgern ist vortrefflich.*

Schwere Orkane und Gewitter hatten in den April-Monaten 1830 und 1831 getobt, das alte Schauspielhaus zu Schwerin war – wir berichteten ausführlich – abgebrannt, und als schrecklichste der pharaonischen Plagen fiel im Juni 1831 die Cholera ins Land. Sie setzte das ganze nördliche und östliche Deutschland für zwei Jahre in Angst und Schrecken. Mecklenburg kam, dank der schnellen Reaktion des Großherzogs und der vortrefflichen medizinalpolitischen Maßnahmen des Dr. Hennemann, mit dem Schrecken davon. Während die Regierung die Außengrenzen des Landes sperren ließ, in den Häfen Quarantänestationen einrichtete und an den Grenzen Einreiseverbote verhängte, sicherte Hennemann das Innere mit strengen Hygienevorschriften, die er, besonders in Schwerin, persönlich kontrollierte. Trotzdem traten, während Schwerin und Ludwigslust völlig verschont blieben, vereinzelt Cholerafälle auf, so in Rostock, in Hagenow, in Güstrow, die die Bevölkerung in große Aufregung versetzten. Dennoch blieb das befürchtete landweite Sterben aus. Diese Tatsache mochte wohl unter den gekrönten Häuptern die Hoffnung geweckt haben, daß Mecklenburg eine besonders seuchensichere Gegend sei, denn im Sommer 1832, als die Krankheit noch einmal europaweit heftig aufflackert, treffen sich in Doberan besonders viele Potentaten und Fürstlichkeiten, als wollten sie, wie einst die edlen Frauen und Männer in Boccaccios „Decamerone", auf einem „geheimen Landsitze" die schreckliche Seuche abwarten und sich die Zeit mit Lustbarkeiten vertreiben: Otto von Bayern, Georg von Sachsen-Altenburg, Friedrich Wilhelm, der Kronprinz von Preußen, Großherzog Carl von Mecklenburg-Strelitz, Carl und Alexandra von Solms und noch ein gutes Dutzend weiterer. Alexandrine ist schon am 6. Juli, diesesmal mit allen drei Kindern, angekommen, nachdem man von ersten Verdachtsfällen im nahen Hagenow gehört hat. Sie hätte nun die Rolle der Pampinea zu übernehmen. Paul kommt drei Tage später nach. Nichts stört den Badebetrieb und das mondäne Leben, nur die Rennen müssen ausfallen.

Die Cholera geht, und die Zeit geht. Natürlich interessiert sich auch die russische Öffentlichkeit für Alexandrine – schließlich ist sie die Schwester der Zarin Alexandra Feodorowna, die als Charlotte, Prinzessin von Preußen, 1798 geboren war und 1817, fünf Jahre vor Alexandrines Heirat mit Paul Friedrich, mit dem Zaren Nikolaus I. getraut wurde.
Charlotte-Alexandra findet 1837, kurz vor dem Tod Friedrich Franz' I. und Alexandrines Eintritt in die groß-herzogliche Würde, in der St.-Petersburger Klatschzeitung (das gab es damals auch schon, J. B.) „Nowyje Wjesti" den

Aufsatz eines russischen Journalisten, der Mecklenburg bereist und Ludwigslust besucht hat und dort der Erbgroßherzogin begegnet ist. Seine Beschreibung der jetzt dreiunddreißigjährigen jungen Frau scheint ihr zu gefallen. Sie übersetzt den russischen Text ins Französische und sendet ihn an die Schwester nach Ludwigslust.

Alexandrine wird möglicherweise belustigt gewesen sein, und Paul Friedrich, falls ihm seine Frau das Billett zu lesen gegeben hat, hat vielleicht innerlich gegrinst und zu sich gesprochen: „Das alles weiß ich doch seit 15 Jahren!"

Der Journalist hat in seinem Artikel noch eine Reihe von Verwechslungen untergebracht, Helene und Marie durcheinandergeworfen und Europas Herrscherhäuser falsch geknöpft. Das soll uns alles nicht stören, wir zitieren nur die auf Alexandrine bezogenen Passagen.

Obwohl zumeist gelassen, ist sie eigentlich durchaus heiter, und dann ist sie die kindliche Fröhlichkeit selbst; gelegentlich ist sie auch verträumt, ihre schönen Augen verlieren sich dann in eine Art Leere und nehmen plötzlich einen starren und traurigen Ausdruck an, der eine schmerzliche Erregung der Seele anzeigt. Dies besonders dann, wenn sie anbetungswürdig erscheinen will; doch sollten Sie sich keinesfalls dem Zauber hingeben, der Sie ihre Nähe zu suchen drängte, denn sie ist eine Königstochter und die künftige Herrscherin des Landes.

Die Erbgroßherzogin ist gut, schlicht, anmutig, geistreich, nachsichtig und so einnehmend, wie dies ihrer besonderen

Schönheit entspricht. Warum sollte sie hart, herrisch, herablassend, launisch sein? Sie weiß doch, daß man sie liebt ... Warum sollte sie berechnend sein und sich verstellen? Sie braucht ihren Rang nicht auszuspielen. Ich habe gesagt, daß sie eben so geistreich wie schön ist, und ich werde sogleich einen Nachweis anführen. Der Großherzog hatte vor einiger Zeit die Stände des Landes einberufen, und diese zeigten sich den neuerlichen steuerlichen Belastungen gegenüber ablehnend, welche die Regierung von ihnen verlangte, um die Verwaltungskosten abzudecken. Sie erkannte sofort, daß Liebesdienerinnen (er meint schöne Frauen schlechthin, J. B.) mehr bewirken können als Vernunftgründe ... Sie sprach zu den wichtigsten Vertretern der Abordnung, und allem wurde sogleich zugestimmt. Das Herz ward überrumpelt, und niemand bedauerte die Opfer, welche eine wohlklingende Stimme und ein einnehmender Blick durchgesetzt hatten: Der Großherzog hätte möglicherweise noch lange gegen die Einwände (der Ritterschaft, J. B.) erfolglos angekämpft, die übrigens begründet waren.

Der Verfasser des Artikels bezieht sich offensichtlich auf die von der Ritterschaft heftig befehdete Kontribution, die Friedrich Franz I. am 19. Januar 1829 den Ständen zur Finanzierung des Landarbeitshauses in Güstrow und des Kriminalkollegiums in Bützow auferlegt hatte. Daß Alexandrine in dieser Sache ihre schönen Augen in die Bresche warf, um ihren Schwiegergroßpapa aus der Klemme zu helfen und den Engeren Ausschuß der Ritterschaft zu betören, haben wir sonst in keiner Quelle bestätigt gefunden. Vielleicht handelt es sich hier um eine Legende oder um journalistische Erfindung. Weiter: *Sie werden häufig an der Seite des Großherzogs, von dem ich eben erzählt habe, oder in Gegenwart einiger Hamburger Kaufmannsgattinen oder in Gesellschaft der Damen des Landes die junge Frau sehen, welche mit ebenso großer Schlichtheit und Eleganz auftritt und von keinerlei Pomp umgeben ist. Sie lacht, plaudert und lauscht genau wie wie jene, die mit ihr vertrauten Umgang haben, kurz, an der Sie, ohne ihr die geringste Aufmerksamkeit zu widmen, vorübergingen, wenn nicht ihre seltene Schönheit blitzartig Ihren Blick gefesselt hätte: Ein Kopf, der an das Ideal der Antike erinnert, auf Schultern von Elfenbein ruhend, gewichtet und gestärkt von den Händen Amors, der bei ihrer Erschaffung von einer Frau geträumt haben muß, welche die Seele immerfort lieben und begehren, immer betrachten könne, ohne daß Auge und Herz jemals vom Unglück des Überdrusses heimgesucht würden. Ihre Augen sind groß, mehr schwarz als blau, breit geschnitten und so sanft wie der Himmel eines heiteren Tages. Ihr Blick ist alles andere als stechend, vielmehr kommt er einem Strom von Licht gleich. Ihre Brauen sind bogenförmig und in außergewöhnlicher Weise geschwungen, was ihren Gesichtszügen einen besonderen Adel verleiht; ihr Gesicht ist oval, und ihre Haut von blendendem Weiß. Ihre Arme – so rundlich und so weich – und ihre immer leicht getönten Wangen verweisen auf jene gesunde Frische, welche die Lie-*

be in ihrer Macht einsetzt, um ihr Meisterwerk vor den unglückbringenden Zugriffen von Krankheit und Kummer zu bewahren.

Deutlicher noch als die Augen verrät der Mund einer Frau ihren Charakter. Alle Seelenregungen lesen sich an ihren Lippen ab; und die jenes Wesens, dessen Bild ich eben entworfen habe, sind frisch, kräftig und voll; es sind die Lippen einer Prinzessin von Rubens, des leidenschaftlichsten aller Maler.

Am 1. Februar 1837 stirbt der alte Großherzog. Jetzt ändert sich der Rythmus des Lebens. Alexandrine ist Großherzogin von Mecklenburg-Schwerin.

*

III.
„Königin von Mecklenburg"
1837 bis 1842

Des Himmels reichsten Segen über Dich
und die Deinigen!
Wie viele Gefühle müssen Dich
an dem heutigen Festtage bewegen,
den Du zum erstenmal in der Stellung begehst,
die Dir der Himmel verlieh!

Aus einem Brief ihres Bruders Wilhelm
an Alexandrine
23. Februar 1837*)

Die Neue Schwerinsche politische Zeitung, Nr. 10, 1837, auf
ihrem Titelblatt:

Seine Königliche Hoheit der Allerdurchlauchtigste Großherzog
Friedrich Franz endete heute Morgen, gegen 9 Uhr, zu
Ludwigslust in seinem 81sten Lebens- und seinem 52sten
Regierungsjahre sein Erdenleben. Er hatte dasselbe dem
Vaterlande geweiht, welches in Ihm den gerechtesten Regenten
verlor und den geliebtesten Landesvater betrauert.

---

*) Alexandrines 34. Geburtstag

88

In Folge dieses hohen Todesfalles, wodurch auch das gesamte Großherzogliche Haus in die tiefste Trauer versenkt wurde, ist die Regierung der Großherzoglich Mecklenburg-Schwerinschen Lande Seiner Königlichen Hoheit dem Erb-Großherzoge Paul Friedrich angefallen und von Allerhöchst Demselben sofort angetreten worden.

Schwerin, am 1. Februar 1837

Schon der Ort der Datierung macht vollends klar: Von nun an wird in Schwerin regiert. Daß dies nun auch endlich Zeit dafür ist, hat die Schweriner Presse schon am 29. Januar, als Kunde von der schweren Erkrankung des „Alten" aus Ludwigslust herübergedrungen war, mit dezenten Hinweisen auf den üblen Zustand der Armenpflege, die mangelnde Sauberkeit der Straßen und die unzureichende Zahl „milder Stiftungen" in der Landeshauptstadt angedeutet. Das „Freimüthige Abendblatt" Nr. 944: *...daß selbst in einem so fetten Lande wie Meklenburg die Resultate der Armenstatistik unerfreulich genug sein dürften. Freilich zeigen Residenzen ... den Jammer menschlichen Elends in einem helleren Spiegel, als andere Localitäten. Gewiß ist Schwerin in dieser Hinsicht nicht bevorzugt. Ein Blick in manche Häuser der Vor- und Neustadt läßt sicher genug auf die Zustände der Bewohner schließen; an Gestalten des Elends, welche an die Slawonier Wiens, an die Eckensteher der Spreestadt, vielleicht auch an Neapels Lazzaroni erinnern, fehlt es uns nicht.*

*Der Alte Garten in Schwerin
zur Zeit Alexandrines und Paul Friedrichs.
In der Mitte das Alte Palais.
Stahlstich nach Julius Gottheil, 1850*

Da deutet sich schon an, was Alexandrine nunmehr als frischgebackene Landesmutter zu tun bekommt: Offene Hand zu sein, lindernde Seele und helfendes Herz.

Zunächst aber, bevor man an den Umzug denken kann, muß die umständliche und aufwendige Trauerpolitik abgewickelt werden. Die Beerdigung eines toten Großherzogs ist keine einfache Sache. Zunächst im Kirchensaal des Ludwigsluster

Schlosses für die abschiednehmende Mitwelt (auch die ärmsten Schichten hatten, wie die Zeitungen melden, freien Zugang) für 12 Tage aufgebahrt, überführte man den Leichnam in das Mausoleum der Herzogin Luise im Schloßgarten zu Ludwigslust, wo Friedrich Franz' sterblicher Rest bei seiner Frau, die ihm 29 Jahre zuvor im Tode vorausgegangen war, abgestellt wurde, ehe man ihn in einem pomphaften Trauerzug von Ludwigslust aus über Schwerin, Wismar, Neubukow und Kröpelin nach Doberan brachte, wo Serenissimus' sterbliche Hülle im ehrwürdigen Münster ihre letzte Ruhe fand.

Die Berichte über dieses Ereignis sind von ermüdender Genauigkeit: wieviele Menschen Spalier bildeten, welche Gebäude und Plätze umflort gewesen, wie die Menschenmenge schweigend die Leiche begleitete, wie berittener Adel auf Pferden mit schwarzen Schabracken einherzog, begleitet von Schildknappen mit schwarz umwickelten Spießen, und wie „die sonst so leicht aus den Schranken drängende Jugend" sich anständig benommen habe.

Und mit der Beisetzung war das Trauerspiel noch längst nicht an seinem Ende. Noch bis weit in den Mai hinein empfangen Alexandrine und Paul pflichtschuldigst Trauer- und Glückwunschdelegationen der Fürstenhäuser Europas. Das alte Spiel von Stirb und werde!, der Ausruf „Der König ist tot! Es lebe der König!" lassen auch Mecklenburg nicht unberührt. Wie hat Alexandrine dieses Theater ausgehalten? Immerhin wird der Himmel auch noch von den Querelen um die Herzogin Helene verdüstert*). Um das Verwandtschaftsverhältnis zwischen Alexandrine und Helene überhaupt zu verstehen, bedarf es einer Erklärung, die der Leser wahrscheinlich auch erst nach dreimaligem Lesen begreifen wird. Alexandrine also war die Halbschwägerin der Prinzessin Helene, dergestalt, daß ihr Mann, Sohn des vorverstorbenen Erbgroßherzogs Friedrich Ludwig aus dessen erster Ehe mit Helene (Jelena) Pawlowna, der Halbbruder Helenes war, denn sein Vater hatte in zweiter Ehe Caroline Luise von Sachsen-Weimar geheiratet, aus welcher Verbindung ein Prinz Albrecht (*1812) und eben besagte Helene (*1814) hervorgingen. Caroline Luise, beider Mutter, starb 1816, und Friedrich Ludwig mußte deshalb, schon der Kinder wegen, 1818 ein drittes Mal heiraten. Seine „Braut" (sie war zum Zeitpunkt der Hochzeit bereits 42 Jahre alt) war Auguste Friederike von Hessen.

Vgl. Borchert, Jürgen: Mecklenburgs Großherzöge, Demmler Verlag Schwerin, 1992; S. 30 ff.

Und da Sie, lieber Leser, spätestens jetzt aufgeben, fügen wir an dieser Stelle eine genealogische Skizze ein:

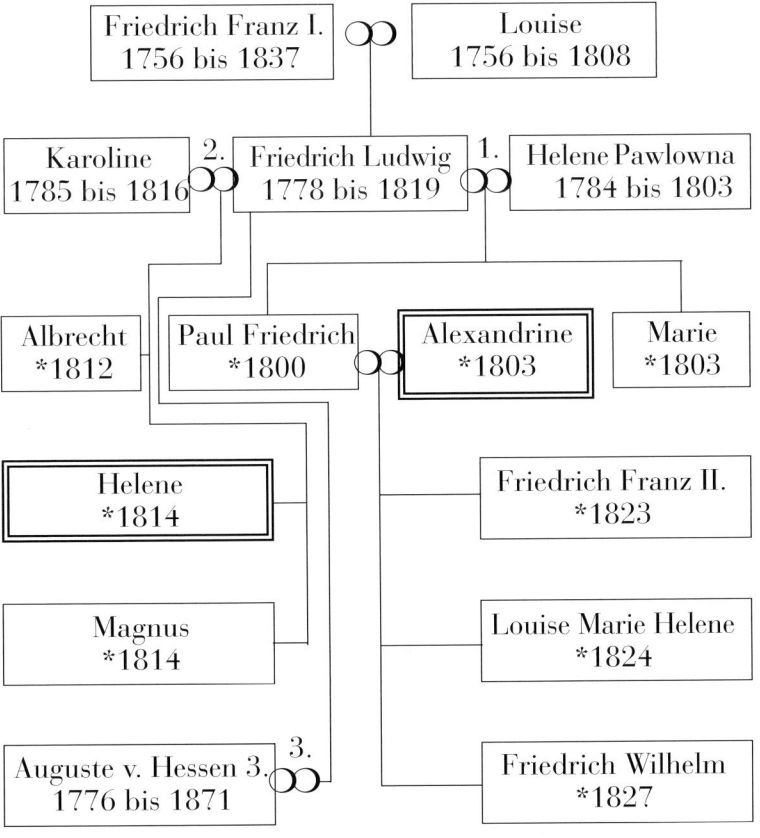

Auguste von Hessen führte als Witwe 3. Klasse ein ziemlich eingezogenes Leben in Ludwigslust. Selbst kinderlos, hatte sie sich der Erziehung der Prinzessin Helene, ihrer Stieftochter, mit Hingabe gewidmet. Auguste war stockhäßlich und zugleich hochintelligent, eine nicht seltene Kombination bei fürstlichen Damen. Fern ihrer hessischen Heimat, mußte sie der Etikette und ihrer Versorgung wegen in Ludwigslust ausharren. Weshalb sie, als Helene „mannbar" wurde, deren Verlobung und Verheiratung mit Ferdinand von Orléans, dem Sohn des Bürgerkönigs Louis Philippe, so eifrig betrieb, muß niemanden wundern: sie hoffte natürlich, nach der Hochzeit an den Pariser Hof umsiedeln zu können und damit dem Muff und Mief von Ludwigslust zu entfleuchen. Daraus wurde nichts aus sattsam bekannten Gründen: die Orléans verloren den Thron Frankreichs im Februar 1848.

Daß Paul Friedrich gegen diese Hochzeit war und die Einfädelung der Angelegenheit sehr gern der „alten Hexe" Auguste überließ, wissen wir. Was sagte Alexandrine? Wahrscheinlich war sie ganz der Meinung ihres Paul Friedrich, denn auch sie liebte die Stiefschwiegermutter keineswegs. Mit Helene verstand sie sich dagegen recht gut. Auch Prinzessin Helene war keine Schönheit. Der Minister von Oertzen, der stets auf die Vermittlung zwischen dem „alten Herrn" und dem Erbgroßherzog bedacht gewesen war und auf den Alexandrine und Paul auch in Zukunft hofften, hat in einem Brief an seine Freundin, die geschwätzige Freifrau von Rochow in Berlin und Reckahn 1836 notiert: *Man darf sie (*Alexandrine und Helene, J. B.*) bei der Tafel nicht neben-*

einandersetzen, denn dann wären Helenens *unvorteilhafte Züge gar zu sehr herausgestellt.* Das ist kein Wunder, denn während Alexandrine, inzwischen 33 Jahre alt, zu reifer, königlicher Schönheit erblüht ist, hat die 11 Jahre jüngere Helene Probleme mit dem Teint und mit dem etwas mageren Dekolleté (Salznäpfe!). Die Angelegenheit bringt allerhand Trubel in den Familienclan der mecklenburgischen und preußischen Fürsten. Bruder Wilhelm schreibt am 23. Februar 1837 an seine Schwester Alexandrine. Er teilt die Meinung seines Vaters, des Königs FW III., ganz und gar nicht. Er hat dynastische und moralische Bedenken, die auch Alexandrine bewegen. Ein paar Sätze aus dem Brief: *Was die deutsche Fürstin (*Helene, J. B.) *betrifft, also den politischen Teil der ganzen Geschichte, so bin ich mit dem, was Onkel Georg (*von Mecklenburg-Strelitz, J. B.*), denkt vollkommen einverstanden. Man mag die Dinge ansehen, von welcher Seite man will, so bleibt doch Louis Philippe ein Thronräuber, und er und seine Nachfolger tragen unrechtmäßigerweise eine Krone. Seine Dynastie mag sich nun jahrhundertelang erhalten oder nicht – die Art, wie er zur Krone gelangte, wird die Geschichte mit unauslöschlichen Buchstaben als ein Unrecht verzeichnen. Er ist nun anerkannter König. Das ist alles, womit man sich begnügen muß. Es ist aber ein himmelweiter Schritt (...) zu den anderen ehrenvoll dastehenden Fürstenhäusern Europas. (...) Wir sehen das jetzt in der begangenen Kühnheit eines Eheantrages. Das ganze legitime Europa hat diese Anträge bisher zurückgewiesen; Oesterreich, Rußland, Neapel, Württemberg haben im Gefühl ihrer Ehre eine solche Alliance* *auf eine sehr eklatante Weise ausgeschlagen. (...) Wie konnte man aber vermuten, daß H.* (elene) *das alles aus den Augen setzen und ein Gefühl als deutsche Fürstin verleugnen werde, welchem zu folgen sie so viele erhabene Beispiele bereits vor sich hatte!*

Alexandrine antwortet ihrem Bruder noch zurückhaltend, billigt aber natürlich ihres Paul Friedrich Entschluß, sich aus der Angelegenheit herauszuhalten: *Tante Auguste* (Helenes Stiefmutter, J. B.) *wird nun alles richten, wie sie es mag. Was mich betrifft, so sehe ich für Helenen eine schwarze Zukunft, und fürchte um sie.*

Alexandrines Befürchtung wird sich später bewahrheiten, als die Ereignisse des Jahres 1848 in Paris die Orléans vom Thron fegen und die arme Helene mit ihren Kindern durch die Tuilerien und das Schloß von Versailles irrt, von Saal zu Saal und von Etage zu Etage auf der Flucht vor den Revolutionären. Sie hat später auf der Wartburg Exil gefunden und ist dort 1858 gestorben. Nach Mecklenburg ist sie nie wieder zurückgekehrt, auch besuchsweise nicht. Paul Friedrichs harte Haltung verbannte sie, und ihr eigener Stolz als französische Thronfolgerin verbot ihr, die Versöhnung zu suchen, die ihr die Residenzstadt Schwerin immerhin symbolisch durch die Benennung einer Straße anbot. Das war 1843. Die Straße hieß später (seit 1939) eine zeitlang „An der Sparkasse", weil die Nazis keine französische Thronfolgerin auf dem Stadtplan dulden wollten, und noch später „Karl-Liebknecht-Straße". Nun heißt sie wieder nach

Helene und erinnert so an ein kurioses Drama aus dem
Raritätenkabinett der deutschen Geschichte des 19. Jahrhunderts.

Wir wollen nun aber in den Alltag der Großherzogin zurückkehren. Wie in jeder Familie spielen die Kinder eine wichtige
Rolle, und wenn Alexandrine ihren Paul auch gelegentlich zu
irgendwelchen Manövern, Ehrenempfängen oder anderen
Staatsangelegenheiten begleiten muß, so sind es doch die
drei Sprößlinge des großherzoglichen Ehepaares, die Zuwendung verlangen und bemuttert werden wollen. Über die
1824 geborene Prinzessin Louise liest man wenig in den
Briefen, die zu Hunderten im Landeshauptarchiv verwahrt
werden und die zum Teil erst 1995 von Christian Ludwig,
dem Chef des Hauses Mecklenburg-Schwerin entsiegelt
worden und so dem Nachforschen zugänglich gemacht
worden sind. Sie, Marie Louise Helene, ist, als Paul und
Alexandrine die Regierung übernehmen, eben 13 Jahre alt.
Sie guckt schon als Zweijährige auf Schadows Bild so brav
und treuherzig, daß wir annehmen dürfen, sie habe ihrer
Mutter keinen Kummer gemacht. Ihr jüngerer Bruder Wilhelm
(* 1827) wird öfter erwähnt. Den Hauptplatz in Mutter
Alexandrines Herz nimmt aber zunächst noch der Kronprinz
ein, Friedrich Franz, „Fritz" genannt, der seit November
1837 in Dresden das Blochmannsche Institut, ein Privat-
gymnasium mit hohen Ansprüchen, besucht. Von diesem Jahr
an datiert der Briefwechsel zwischen ihm und seiner Mutter.
Friedrich Franz hat bis zu seinem Tode alle Briefe Alexandrines
aufbewahrt. Auch sie befinden sich heute im Landeshaupt-

archiv – schätzungsweise 10 000 Blatt, bedeckt mit der feinen, kleinen und klaren Handschrift Alexandrines, die sich, was für Graphologen und Psychenforscher einigermaßen verwunderlich sein mag, bis zu ihrem Lebensende nicht oder nur geringfügig verändert. 1839 schreibt sie aus „Dobbran":

Montag   *Dobbran den 29t July 1839*

Mein lieber Fritz

Es scheint mir, als wenn ich Dir lange nicht geschrieben, wenigstens von hier von Dobbran, nun ganz gewiß noch garnicht. Alle Tage denken wir daran, daß Du künftiges Jahr gewiß mit uns hier sein wirst, was uns alle ungeheuer freuen wird, wenn es nun erst soweit wäre. Dies Jahr ist die Natur vorzüglich schön, alles ist so üppig das Getreide steht schön, das Grün so prächtig alles so dicht belaubt, dabei ist es unendlich foll an Badegäste, aber nicht an Gesellschaft für mich, eine Frau von Stettenberg mit ihrer Tochter ist die einzige Dame, indessen es ist viel Leben, und jeder scheint zufrieden, das Theater befriedigt auch sehr das Publikum, die Hugenotten sind schon 2 mal gegeben worden, und werden am 2t August zum letzten Mal gegeben, für Onkel George von Strelitz, da Madame Schmidtchen ein kleines Kind bekommen will, wie ich diese Oper liebe, ist nicht zu sagen, der 4t Akt bringt mich immer ganz außer mich. Dann sind mehrere Gastspiele die auch interessieren, unter anderem ein Herr Burmeister, der anstatt Sieghart engagiert werden soll, der wirklich sehr gut ist, auch einige Damen, die nicht mit soviel Glück gespielt. Heute ist Wilhelm zum erstenmal mit mir geritten, das war ein großes Fest, ich reite sehr viel, mein Pferd geht sehr gut, daher macht es mir viel Spaß. Wilhelm reitet recht gut, es greift ihn nur ein wenig an, daher er es mit Maaß genießt, diese Freude. Unser Leben hier, ist ganz nach der alten Art, nur daß ich jetzt früh aufstehe und mit den Kindern spazieren gehe, dann fahren wir um 1/2 9 Uhr nach dem Bad, und kehren oft späth zurück, besonders wenn ich auf die See fahre, was bis vor 3 Tage aller Tage geschah, zwei mal bin ich geritten und ein mal in die Kirche gegangen, um 12 Uhr wird auf den Kamp gegangen, das Geld verplämpert, dann zu Tisch um 2 Uhr gewandert, wo es jetzt recht zahlreich ist, dann Kaffe auf dem Kamp getrunken. Graf Moltke und General Stüder sein Schwiegervater, aus Potsdam jetzt freilich in Berlin sind hier, die Anwesenheit von Letzterem erfreut mich sehr. Er ist immer so munter und liebenswürdig; beim Reiten begleiten sie uns, überhaubt sind wir viel zusammen. Morgen erwarten wir die Taglioni, wenn es nicht übermorgen ist.

Den 31t July. Mein Brief hat wieder einige Tage gelegen, und heute Morgen kam dein lieber Brief vom 28t wofür ich dir herzlich danke. Wie es jetzt scheint fehlt es dir nicht an amusemens, und das freut mich recht, denn ich denke, dann bist du hernach desto fleißiger. An Sell sage doch, daß der letzte Vorschlag welchen er in seinem Brief an mich mehr Beifall gefunden als der erste, und daß Papa meint du möchtest im September nur eine Reise machen, da wir selbst

die Absicht haben, erst im September zu den Manövern nach
Berlin zu gehen, und dann auch eine Reise von 4 Wochen zu
machen, wohin weiß ich nicht, und dann kommen wir vor
Mitte Oktober nicht nach Schwerin, wenn Du am Ende
Oktober kämst, dann könnte im November die Einsegnung
sein, ich hoffe immer auf unserer Rückreise in Dresden dem
König unsere Aufwartung zu machen, das ist eine Sache die
mir sehr am Herzen liegt. Um von Dobbran noch zu reden,
ich bade gar nicht, reite aber desto mehr und fahre viel zu
Wasser, wir sind dem Erzherzog gar nicht entgegengefahren,
da er späth um 8 Uhr weit in See vorbei dampfte. Wilhelm
denkt gar nichts anderes als seine Reise und ist über
glücklich, am 18t reiset er über Magdeburg auf den Harz.
Die Zeit zum anziehn naht, also lebe wohl.
Adolph bleibt noch bei uns bis zum 12t.

Deine treue Mama
Adine

Grüße Tante Kronprinzessin!

Wieviel Informationen stecken in diesem Brief? Machen wir
uns an die Analyse.

Zunächst erfahren wir, daß es in „Dobbran" auch mal recht
langweilig sein kann. Trotzdem: Alexandrine liebt und
beobachtet die Natur. Morgens früh schon geht sie mit den
Kindern, also mit Wilhelm und Louise, spazieren. Über diese

Spaziergänge haben erstaunte Doberaner Kurgäste verblüffende Mitteilungen gemacht. Eine Frau Kirschenreuther aus Leipzig, die Gattin eines Pelzhändlers vom Brühl, teilt ihrer Schwester mit (Juli 1839), daß *die Frau Großherzogin morgens um sieben Uhr, wenn alles in Doberan noch in den Betten liegt, auf dem Kamp oder bei der Kirche mit ihren prinzlichen Kindern spazieren geht. Unsere Wirtin hat es mir erzählt, und so bin ich heute früh aufgestanden und habe es mit meinen eigenen Augen gesehen. Sie trug einen Reitdreß und hatte einen kleinen Hund dabei. Frau Schroeter* (die Wirtin, J. B.) *meint, sie tut es wegen die Gaffer.*
Wie man an Frau Kirschenreuthers Brief sehen kann, entgeht sie den Gaffern auch morgens um sieben Uhr nicht.

Giacomo Meyerbeers Oper „Die Hugenotten“ ist eben ein paar Monate zuvor mit großem Erfolg uraufgeführt worden, und Paul Friedrich hat seinen neuen Hofkapellmeister Schmidtgen angewiesen, das Werk auch am Schweriner Hoftheater herauszubringen. Die Schweriner Erstaufführung datiert vom 27. Februar 1839, und Schmidtgen richtet die Inszenierung so ein, daß man sie auch in Doberan spielen kann. Dafür kriegt er den begehrten Titel und die Festanstellung als Nachfolger des berühmten Louis Massonneau, der hochbetagt in den Ruhestand getreten ist. Mit ihm versinkt auch die spätbarocke Musiktradition des 18. Jahrhunderts, wie sie Friedrich Franz I. eifrig gefördert hatte, und mit Schmidtgen kommen nun die Opern der Romantiker auf die Bühne. Schmidtgens junge Frau Johanne (Alexandrine schreibt

„Schmidtchen") singt die Hauptrolle (Margarethe von Valois) in Meyerbeers Oper, und, wie wir aus dem Brief erfahren, ist die Großherzogin hingerissen, hat aber Verständnis dafür, daß man absetzt, weil „Madame Schmidtchen" hochschwanger ist.

Die Tänzerin Marie Taglioni (1804-1884) trat als Gast Alexandrines mehrfach in Doberan auf (Lithographie nach A.-E.Chalon, um 1840)

Eine andere Künstlerin, die sich in diesen Jahren mehrfach in Doberan aufgehalten und das ganze Herz unserer Alexandrine gewonnen hat, ist Marie Taglioni. Sie ist die Tochter des damals hochberühmten italienischen Ballettmeisters Filippo Taglioni und zusammen mit Fanny Elsner Europas Tanzstar Nummer 1. Sie ist nur ein Jahr jünger als Alexandrine und wird von ihr vertrauensvoll an den Hof gezogen, „bescheiden und anspruchslos", so schreibt sie schon in der Vorjahrssaison an den Sohn, sei diese Tänzerin, der „Alt und Jung zu Füßen liegt". Die Taglioni hat 1838 und 1839 das szenische Ballett „La Sylphide" von Adolphe Nourrit (1802 bis 1839) in Doberan gegeben. *Es war ein lermen und gejauchtse, wie ich das* (Doberaner) *Publikum nie gekannt, und es war ordentlich eine Lücke, als sie abreisete.*

Täglich, so erfahren wir weiter, sei sie auf die See gefahren. Dazu benutzt man das „Schiff Seiner Königlichen Hoheit", das ihren, Alexandrines, Namen trägt und vor Heiligendamm bereit liegt. Wir haben ein Schiffstagebuch, das der Kapitän des kleinen Rahseglers „Alexandrine" geführt hat, in den Beständen des Landeshauptarchivs aufgefunden. Es ist bereits 1836 begonnen und verzeichnet penibel alle Törns zwischen Heiligendamm und Warnemünde, die zum Vergnügen der großherzoglichen Familie und ihrer Gäste gesegelt werden. Da man direkt „am Damm" nicht anlegen kann, weil es keine genügend lange Schiffsbrücke gibt, werden die Segelgäste mit Schaluppen von Land an Bord geholt und auf See eingeschifft, was man sich so etwa wie vor Helgoland vorstellen muß. Es „wiwagt" und schaukelt, aber Alexandrine macht das nichts aus. Bei ihr wirkt sich wohl das häufige Reiten aus, sie wird nicht seekrank. Man kann bei August Carl Kortüm, der Badearzt am Heiligen Damm war und allerhand über Baden und Seekrankheit und Schwimmen geschrieben hat, nachlesen, daß *„Personen, welche das Pferdereiten regelmäßig pflegen, der Seekrankheit kaum anheimfallen, weil diese Krankheit eine Erscheinung der in den Ohren liegenden*

Gleichgewichtsorgane ist und ein Reiter an die hin- und herwogenden Bewegungen des Pferdes so gewöhnt ist, daß jene des Schiffes ihm nicht zu nahe treten" (Das Seebad und die Seebadecur; Rostock 1865).

In einem ihrer zahllosen Briefe an ihren Sohn teilt Adine mit, daß bei der Ankunft am Damm (man war in Warnemünde gewesen), ein kräftiger Wind war *und Capitain Bardt schon Bedenken trug, die Schaluppe an unser Schiff anlegen zu lassen. Aber Freifrau von Stenglin war dermaßen krank, daß ich ihn bat, sie als allererste an Land bringen zu lassen, denn sie litt so sehr. Den Obersten v. Oerzten, der mit der langen Nase, mußte ich arg schelten, weil er die Aermste so auslachte. Und dann, lieber Fritz, hat es mich sehr erheitert, als er selber zu Speyen anfing.*

Unsere Alexandrine also ist seefest, und Capitain Bardt hat alles im Griff. In seinem Schiffstagebuch verzeichnet er unter dem Datum des 7. August 1839: *Wind des Morgens West Nord West. Heitere Luft. Um 8 Uhr fuhr die Schaluppe an Land. Um 10 Uhr kamen in der großen Schaluppe an Bord:*
I. K. H. die Frau Großherzogin
I. K. H. die Prinzessin von Wasa
S. K. H. der Prinz von Wasa
I. H.   die Herzogin Louise*
S. H. der Prinz Friedrich von Mecklenburg*
S. H. der Prinz Wilhelm von Mecklenburg*
S. H. der Prinz Ernst von Altenburg

---

*) Alexandrines Kinder

S. H. der Prinz Moritz von Altenburg
Fr. Gräfin Harnack
Frl. v. Gallenfeldt
Frl. v. Schack
Frl. v. Bülow
Frl. A. v. Schack
Frl. L. v. Schack
Dem. Garnier
Kammerherr Baron von Galen
Hptm. Baron von Anissoff
Die Künstlerin Frl. Taglioni
Kammerherr von Wettberg
Postrath von Pritzbuer
Kammerdirector von Flotow
Oberforstmeister von Bülow
Baron von Stenglin
Hptm. von Hippenfeldt

Die Anker wurden gelichtet und das Schiff unter Segel gebracht.
Der Wind Nord West mit ziemlichem Wellenschlag, segelten 2
Meilen in See und kamen 1 1/4 Uhr wir wieder zur Ankerstelle,
die große Schaluppe kam seit Bord und die Herrschaften fuhren
wieder ans Land. Nachmittags flau. Um 5 Uhr kamen viele Badegäste an Bord. Abends Stille, Wind West zu Nord West. Ich bekam
Order mich zum anderen Morgen fertig zu halten, weil die Herrschaften eine Fahrt mit dem Schiffe nach Warnemünde und
Rostock beabsichtigten und, falls der Wind Widrig sein sollte,
das Rostocker Dampfschiff zum Bugsieren requiriert hätten ...

Eine illustre Gesellschaft an Bord! Unter den verzeichneten Namen kein bürgerlicher, abgesehen von der schönen Tänzerin aus Italien. Interessant ist auch die Anwesenheit Adolf von Stenglins!

Tintenfaß, Silber, mit eingravierter Widmung und Wappen Alexandrines an Adolf von Stenglin: „Von Deiner zweiten Mama. 1840. 24. Januar 1890.“ (Privatbesitz)

Alexandrines Verhältnis zu Adolf von Stenglin, dem Jugendgefährten ihres Sohnes Friedrich Franz (Fritz), war herzlich und vertraut. Adolf von Stenglin gehörte gewissermaßen zur Familie, wie überhaupt kaum eine andere Adelsfamilie in engerer Beziehung zur großherzoglichen Familie im allgemeinen und zu Paul Friedrich und Alexandrine im besonderen stand. Einer der Stenglins – die Familie stammte ursprünglich aus Süddeutschland – war aus Erfurt gebürtig. Otto Henning, so hieß er, kam nach seinen Studien auf der Ritterakademie in Lüneburg und der Universität Göttingen schon 1826, eben 24 Jahre alt, als Kammerjunker an den Hof nach Ludwigslust. 1835, noch unter der Ägide des Alten, wurde Otto Henning von Stenglin zum Kammerherrn ernannt.

Für zwei Jahre (1848 bis 1849) war er Intendant, also eine Art Geschäftsführer des Seebades in Heiligendamm. 1850 bat ihn Alexandrine, das Amt ihres persönlichen Hofmarschalls zu übernehmen; 1864 wurde er ihr Oberhofmeister. Ein Jahr älter als die Großherzogin-Mutter (welchen Titel führen zu müssen sie allerdings während ihrer Ehejahre mit Paul Friedrich nicht ahnen konnte), starb Otto Henning Freiherr von Stenglin 1885 in Schwerin.

Der andere, jüngere Stenglin, Adolf, war Otto Hennings Neffe. Er wurde bereits als Neunjähriger in Ludwigslust an den Hof gezogen, um als Alters- und Spielgefährte gemeinsam mit Prinz Fritz erzogen zu werden*). Alexandrine liebte diesen Kameraden ihres Sohnes besonders. Möglicherweise wollte sie ihm die Mutterstelle ersetzen, denn Adolf hatte nur den geringsten Teil seiner Kindheit in seinem Elternhaus verlebt und war später stets allerlei Zwängen ausgesetzt, denen er aus Standesgründen als Angehöriger des mittleren Adels auch gar nicht entgehen konnte. Nach 9 Jahren gemeinsamer

---

*) vgl. „Mecklenburgs Großherzöge", S. 49 ff.

Kindheit mit Alexandrines Erstgeborenem trennten sich die Wege der beiden junge Männer. Prinz Fritz wurde aufs Blochmannsche Gymnasium nach Dresden getan, und Adolf von Stenglin mußte – sicher nicht gerade zu seinem Vergnügen – die Ritterakademie in Brandenburg beziehen. Alexandra von Stenglin, die 1913 die Aufzeichnungen ihres Vaters Adolf als eine Art Familienchronik herausgab, fortsetzte und mit Bildern versah, meint, der *Eintritt in die klösterlichen Zellen der alten Ritterakademie war ihm wie ein Begräbnis seiner Kindheit und die Trennung von seinem Prinzen wurde ihm recht schwer.*

Und da war es Alexandrine, die ihn mit Briefen aufrichtete und ermunterte. Als dreifache Mutter wußte sie genau, welche Zuneigung und Zuwendung so ein junger Mann brauchte. Am 11. November 1837 schreibt sie ihm:

Lieber Adolph!

Dein Brief hat mich sehr gefreut u. gerührt und ich danke Dir daß Du mir eine von Deinen Freistunden geopfert hast, Du magst wohl düchtig zu lernen und zu arbeiten haben, doch ich bin überzeugt, daß Du recht fleißig sein wirst und uns dadurch die größte Freude machst. Du kannst denken, daß Du uns oft fehlest, besonders da nun Fritz fort ist, ist es so leer und still um uns geworden. Der liebe dicke junge schied unter heißen Thränen, doch haben wir die Überzeugung, daß es ihm wohl thun wird für sein ganzes Leben, so auf eigene Hand in der Welt zu leben u. eine andere Art von

Unterricht zu genießen. Wenn Du mir wieder einmal schreibest, dann spreche nur aufrichtig wie es Dir da gehet u. wie Du es gefunden, ob es Dir einen sehr unangenehmen Eindruck macht u. ob Du Dich unglücklich fühlst oder nun schon besser, ob Du angenehme Bekanntschaft gemacht, was Du treibst u. wie die Abende hingebracht werden? dann aber laß die Sonntagshand fort beim Schreiben, sonst ist es Dir ein Zwang und macht Dir keine Freude mir zu schreiben und ich möchte, daß Du mir gern schreibst und daß es eine Erholung für Dich sei. Luischen und Wilhelmchen (die ihr nach Fritz' Wegzug nach Dresden verbliebenen Kinder; J. B.) *grüßen Dich herzlich, sie finden sich auch recht allein, doch geht es mit Herrn Brockman und „Schnäpschen"* (Spitzname des Prinzen Wilhelm; J. B.) *sehr gut. Nun leb wohl mein lieber Adolph, also zu Weihnachten sehe ich Dich wieder, das freut mich sehr, mit Liebe drücke ich Dich an mein Herz. Der Großherzog grüßt Dich herzlich, u. Du sollest recht fleißig sein.*

Deine zweite Mutter Alexandrine

Alexandrines Brief verrät uns, daß sie sich Sorgen macht um die jungen Leute. Sie weiß ohne Zweifel von den Zwängen und Schrecknissen der Ritterakademien und Kadettenanstalten. Sie ahnt, wie die Seelen der halben Kinder in diesen, besonders in den preußischen Zuchtanstalten, verbogen werden: *ob Du Dich unglücklich fühlst ...* Sie ermuntert ihn, beim Briefeschreiben an seine „zweite Mutter" die „Sonntagshand" fortzulassen, wenigstens einem Zwang zu entfliehen. Sie wird es schon lesen können. Ihr Brief ist in keinem Wort weniger liebevoll als die vielen hundert Briefe, die sie an ihren Sohn, den Erbgroßherzog Friedrich Franz, geschrieben hat.

Unseren Lesern wird es jetzt gefallen, wenn sie einmal einen Überblick über das alltägliche Leben so einer regierenden Fürstin bekommen. Wir wollen versuchen, ein Jahr Hof-Alltag zu rekonstruieren. Vollständig wird uns das nicht gelingen können, weil es zwar viele gedruckte und unge-druckte Quellen gibt, aber vieles andere auch von der Geschichte vergessen und verschlungen worden ist.

Wir nehmen uns für dieses Vorhaben die Jahre 1840 und 1841 vor, ein mit freudvollen Höhen und leidvollen Tiefen, mit Erregungen und Langweiligkeiten angefüllte, also ganz und gar normale Zeit.

Gleich zu Beginn des Jahres 1840, eben ist König Friedrich VI. von Dänemark gestorben und man muß eine Trauer-delegation entsenden, hat Alexandrine für die Reiseaus-stattung und Versorgung ihres ältesten Sohnes zu sorgen. Friedrich Franz (immer noch Prinz Fritz genannt), mit seinen Siebzehn doch noch fast kindlich und etwas schwierig, muß am 6. Januar nach Dresden zurück auf seine Penne, nachdem er die Weihnachtstage in Schwerin zu-gebracht hat. Ihm muß sie einige nötige Maßregeln erteilen. Ein Billettchen gibt sie ihm mit, daß er aber erst in Dresden öffnen soll. *Lieber Fritz*, so steht darin, *halte Dich bitte ganz*

*an Herrn von Sell und siehe zu, daß Du Dich nicht noch
wieder in diese Gesellschaft begiebst. Ich habe dem Papa von
der bewußten Angelegenheit nichts erzählt; weil ich ihm und
Dir die Weihnachten nicht betrüben wollte; nun sei aber
auch Du brav und halte Dich gut! Deine Mama Adine.*

Was ist da vorgefallen? Was hat Prinz Fritz angestellt? Hat
er über die Stränge geschlagen? Ist er vielleicht nach
Gymnasiastenart den Mädchen des Dresdener Lyzeums nach-
gestiegen? Hat er eine heimliche Biersause unternommen?
Hat er verbotenerweise Zigarren geraucht? Sell, sein Gouverneur, muß bei Adine gepetzt haben. Daß diese ihren
Gatten nicht damit behelligt, spricht für ihre mütterliche
Nachsicht.
Die Garderobe ist durchzusehen, die Equipierung mit eigener
kleiner Kalesche und zwei Pferden muß arrangiert werden,
eine Besuchsliste wird aufgestellt, das Taschengeld vorge-
rechnet, die Pickel des jungen Burschen werden noch einmal
mit Puder und Salbe versorgt, und es wird ihm dringend ans
Herz gelegt, dieserhalb und wegen der herrschenden Influenza
unbedingt den Medizinalrat Kunckelmann in Dresden, einen
Freund und Kollegen des Schweriner Hausarztes Wilhelm
Hennemann, aufzusuchen. *Hörst Du, Fritz?* Fritz hört und ist
brav. Vierelang, mit Vorreiter, fährt er durch die strenge
Kälte nach Dresden ab. Ist die Feuerkieke in der Kalesche in
Ordnung? Sind Decken genug da?

111

Altes Palais am Schweriner Alten Garten,
auch Alexandrinenpalais genannt,
Historische Fotografie

Abends sitzt Alexandrine mit ihrem Paul Friedrich im großen Salon des Alten Palais und bespricht mit ihm solcherlei Angelegenheiten. Paul, die unvermeidliche Zigarre im Munde, den angewärmten Rotwein im Glase, stochert im Kamin. Er hat eigentlich ganz andere Sorgen, ist aber zu sehr liebender Gatte und Vater, als daß er seiner Frau nicht zuhören würde. Doch er erwartet, daß auch sie ihm zuhört.

Meist geht es um Geld. So ein Großherzogtum kostet! Soll man endlich die Schauspieler zur Einkommenssteuer heranziehen? In Preußen, beim Schwiegerpapa Friedrich Wilhelm III., ist das bereits üblich. Wenigstens eine außerordentliche Contribution sollen sie auf ihre doch sehr anständigen Gagen in diesem Jahr entrichten. *Was meinst du, Adine?* Adine meint nicht, aber sie kann es dennoch nicht verhindern, daß den Akteuren und Aktricen, so sie fest angestellt sind, 10 Prozent abgezwackt werden sollen. Schon am 21. Januar erläßt die Kammer die entsprechende Verordnung. Da ist es heute wie damals: Die Betroffenen maulen, aber, so das Volk auf der Gasse, sie sollen doch froh sein, daß sie den Job haben. Geld, Geld. Schon am Tag darauf erläßt Paul Friedrich eine viel wichtigere Steuer, denn es müssen die nicht unerheblichen Kosten für die Finanzierung der Strafverfolgungs- und Strafvollzugsbehörden aufgebracht werden. Die Gauner und Banditen, die in Mecklenburg für Aufregungen sorgen, einsame Bauerngehöfte, jüdische Kaufmannsgeschäfte, Landkrüge und Poststationen überfallen, kosten den Staat Geld, wenn man sie dingfest macht und verurteilt. Auch die Festung in Dömitz macht Probleme. Das Ding ist eigentlich inzwischen völlig unbrauchbar und militärisch zu nichts nütze, aber die Festungsgefangenen sind gewissermaßen Staatspensionäre. Einer von ihnen heißt übrigens Fritz Reuter. Auch der wird in diesem Jahr 1840 die Festung als freier Mann verlassen, aber weder Alexandrine noch Paul haben eine Ahnung, was aus diesem „Königsmörder" einmal werden wird.

Jedenfalls: Paul Friedrich läßt Steuern eintreiben. Adine, bei den abendlichen Kamingesprächen, sagt nicht ja, nicht nein, sie weiß, es nützt nichts. So werden die Ämter und die Städte zur Finanzierung der Justiz herangezogen, so wird den Holzhändlern, die in Mecklenburgs riesigen Wäldern hemmungslos herumhacken lassen und dabei schwer verdienen, eine Sondersteuer auferlegt, und auch die Productenhändler, meist jüdischer Konfession, die mit Abfallstoffen handeln, also Lumpen, Knochen, Tierkadaver, Alteisen und ähnliche Dinge auf- und mit hohen Gewinnen an die hamburgischen und preußischen Industriebetriebe verkaufen, müssen eine landesherrliche Contribution zahlen.

Mit solchen Dingen geht der Winter hin. Gelegentlich unterbrechen Aufführungen im Hoftheater die Alltagsprosa, und Adine kann sich die gastierenden Künstler zum Tee laden. Die werden sich gewundert haben, wie man als großherzogliches Ehepaar in Schwerin lebt – in einem schon etwas angemorschten Fachwerkhaus, dem der Hofbaurat Demmler zwar ein anständiges fürstliches Schlafgemach und einen kleinen Bankettsaal angebaut hat, das aber doch bescheiden wirkt und bleibt.

Am 8. März 1840 endlich kommt für Alexandrine, obschon es noch sehr kalt ist, der Frühling, denn sie reist mit Paul Friedrich nach Berlin, „nach Hause". Ach, Berlin! Die vertrauten Zimmer im Prinzessinnen-Palais, der Luxus, die modische Welt, das Schauspielhaus! *Madame Bonchamps spielte auf meinem alten Spinett, das immer noch im Erker steht, und ich war so gerührt und mußte weinen (an Prinz*

Fritz am 17. 3. 1840), oder *Heute Humboldt* (Alexander; J. B.) *zum Thee; er erzählte so anschaulich von seinen Reisen und daß er auch den Zaren getroffen* (an Prinz Fritz am 21. 3. 1840).

Am 3. April geht es zurück nach Schwerin, denn es sind nun die Vorbereitungen zu treffen für die Konfirmation der kleinen Prinzessin Louise. Die Feier soll in der Schloßkirche stattfinden. Theodor Kliefoth, Oberhofprediger und bis zu dessen Aufnahme im Blochmannschen Institut zu Dresden auch religiöser Erzieher des Prinzen Fritz, wird die Feier leiten. Er hat der aufgeregten Mädchenseele eine sanfte Prüfung abgenommen, wie es nun einmal der protestantische Ritus verlangt. „Wissen Sie wohl, Königliche Hoheit, wie der Mann hieß, der das Volk Israel aus Ägypten führte?" – „Mose, Herr Hofprediger!" – „Schön, mein Kind! und was sprach Jesus in der Bergpredigt, bei Matthäus, im 6. Kapitel?" – „Er hat uns das Vaterunser gelehrt, Herr Hofprediger!" – „Sehr schön, Königliche Hoheit. Und nun noch das Vierte Gebot!" – „Du sollst Deinen Vater und Deine Mutter ehren ...".

So ungefähr haben wir uns das vorzustellen. Die Schloß-kirche ist am 14. April überfüllt, der Mittelgang voller Leute, denn die Konfirmation ist öffentlich, und Schwerins Stadtvolk will sich den Anblick der Großherzogin, des Großherzogs und der zarten Prinzessin nicht entgehen lassen, wie man sich denken kann. Alexandrine und Louischen schnüffeln ins Taschentuch, und auch Prinz Fritz ist rechtzeitig aus Dresden in die Osterferien angekommen. Der Mai bringt zwei Trauerfälle: am 13. stirbt, in seinem 87. Lebensjahr stehend, der Erste Minister Christian Friedrich Krüger, und am 16. folgt ihm der Oberstallmeister und Kammerherr Vollrath von Bülow, beide „nach vieljähriger und rümlicher Pflichterfüllung". Der „Hamburgische Correspondent", der auch in Mecklenburg viel gelesen wird, spricht von „Fossilien", die von der politischen Bühne Obotritiens abgetreten seien. Paul Friedrich muß sich also nach neuen Leuten für diese hochdotierten Posten umsehen. Damit aber hat Alexandrine nichts zu schaffen; es ist ihr wohl auch herzlich egal. Ein anderer Todesfall indessen trifft sie tief und schmerzlich: Ihr Vater, der preußische König Friedrich Wilhelm III., mit dem sie eine herzliche Zuneigung und eine liebevolle Vater-Tochter-Beziehung verbindet, erkrankt am 1. Juni 1840 schwer. Der König ist 69 Jahre alt und nach dem frühen Tod seiner Frau Luise seit 1824 in morganatischer Ehe mit der Gräfin Harrach verheiratet. Glaßbrenner hatte gespottet: „Eine muß ihm doch die Strümpfe stopfen."

Ein anderer Literat und Zeitgenosse, Theodor Fontane, mochte in den Spott nicht recht einstimmen. In seiner hochinteressanten und leider viel zu wenig bekannten Autobiographie „Von Zwanzig bis Dreißig" können wir nachlesen: *Während meiner märkischen Arbeiten, die mich später durch viele Jahre hin mit allen Volksschichten in Dorf und Stadt in Berührung brachten, bin ich der Eigenart dieses Königs in von Mund zu Mund gehenden Geschichten und Anekdoten viele hundert Male begegnet, und in immer wachsendem Grade habe ich dabei den Eindruck gehabt:*

116

Welch ein herrlicher Mann! Wie mustergültig in seiner wundervollen Einfachheit und wieviel echte, wirkliche Weisheit in jedem seiner, vom bloßen Espritstandpunkt aus gesehen, freilich oft prosaisch und nüchtern wirkenden Aussprüche. Wenn überhaupt absolut regiert werden soll, was ich freilich weder wünsche noch für möglich halte, so muß es so sein. Ganz Patriarch.

Alexandrine hat dieses Urteil über ihren Vater, das ihr sicherlich zugesagt hätte, natürlich nicht mehr kennenlernen können, denn Fontane schrieb es, aus der Sicht seines Alters, erst mehr als fünfzig Jahre nach dem Tode des Königs nieder.

Die schwere Erkrankung des Königs und sein Tod am 7. Juni 1840 brachten die gesamte Planung durcheinander. Alexandrine hatte eigentlich die Taubstummenanstalt in Ludwigslust einweihen sollen, die Paul Friedrich gestiftet hatte, um einem dringenden Bedürfnis abzuhelfen. In ganz Deutschland waren Institute dieser Art entstanden; nachdem Samuel Heinicke bereits 1778 die erste Taubstummenschule in Leipzig gegründet hatte, war man überall zu der Überzeugung gelangt, daß die taubstummen Menschen nicht, wie das Mittelalter geglaubt hatte, teufelsbesessen oder minderwertig seien. Der Gründer und Leiter der Großherzoglichen Irrenanstalt auf dem Schweriner Sachsenberg, der Medizinalrat Carl Friedrich Flemming, der über Demmler einen gewissen Einfluß auf Paul Friedrich ausüben konnte, hatte dem Landesherrn mehrfach in den Ohren gelegen und die völlige

Normalität der Taubstummen zu erklären versucht. Sie fielen nicht in sein Ressort, sie waren nicht geistig, sondern „nur" körperlich behindert, man müsse sie mit den richtigen Methoden bilden, dann könnten sie, auch ohne der Sprache oder des Gehörs mächtig zu sein, nützliche und selbständige Mitglieder der Gesellschaft sein. Alexandrine unterstützte diese Ansicht Flemmings. In einem Brief an den Prinzen Fritz findet sich die Bemerkung: *Papa hat nun doch das Predigerhaus am Kirchenplatz in Ludewigslust für die Stummenschule bestimmt, und ein Lehrer Christian Benque soll dort von Pfingsten an die armen Kinder belehren. Wenn ich mir denke, daß sie noch nie haben ein Schwelblein zwitschern hören, ist mir traurig im Herz.*

Ja, gern hätte Adine die Schule – man begann mit 11 Zöglingen – wohl selbst eingeweiht, aber die bedrohliche Erkrankung ihres Vaters zwang sie, sofort nach Berlin zu reisen. Das frisch konfirmierte Töchterchen Louise nahm sie mit, während Prinz Wilhelm, das Nesthäkchen, der Masern wegen unter der strengen Aufsicht des Leibarztes Dr. Hennemann und seiner Bonne im Alten Palais zu Schwerin in abgedunkeltem Zimmer zurückbleiben mußte. Vielleicht gut so; Todesfälle sind für zwölfjährige Knaben wenig erbaulich. Paul Friedrich reiste am 4. Juni seiner Frau nach, stand mit ihr am 7. Juni an des Königs Sterbebett und fuhr am 9. in der Morgenfrühe nach Schwerin zurück, um dem Land und seinen Truppen den Tod des Königs zu verkünden. Am 10. bereits ließ er sich erneut nach Berlin kutschieren, wo am 11.

Juni die Beisetzung seines Schwiegervaters stattfand, und am 12. bereits kehrte er wiederum nach Schwerin zurück, um die großen Manöver des gesamten 29. Bundescontingents auf dem großen Dreesch bei Schwerin zu leiten. Alles mit Pferd und Wagen. Gewiß war die Strecke Schwerin-Berlin über Ludwigslust und die chaussierte Poststraße von Hamburg nach Berlin mit zahlreichen Relaisstationen versehen, wo man die Pferde wechselte (die in Ortkrug existiert als Gebäude bis heute), aber eine solche Strapaze dauerte mit achtspännigem Pferdezug und in der schweren Reisekarosse, mindestens 14 Stunden!

Alexandrine blieb über die Beisetzung ihres Vaters hinaus in Berlin und kehrte erst am 15. Juni nach Schwerin zurück, wo sie sich nicht lange aufhielt, sondern ihren inzwischen von den Masern genesenen Jüngsten und die Prinzessin Louise für die Doberaner Saison ausstaffierte und schon am 1. Juli dorthin aufbrach. Ihren Paul ließ sie zunächst in Schwerin zurück; er hatte durch den Tod seines Schwiegervaters und durch die in Vor- und Nachbreitung aufwendigen Manöver viel Zeit verloren und mußte den Sommer über „regieren". So wurde Ludwig von Lützow anstelle des verstorbenen Ministers Krüger in das Amt des Ersten Ministers eingeführt, der preußische Gesandte, der Legationsrat von Hänlein, überbrachte das Beglaubigungsschreiben des neuen Preußenkönigs, Pauls Schwager Friedrich Wilhelm IV., die Verhältnisse der Juden in Mecklenburg mußten endlich, wenigstens in „kirchlicher" Hinsicht, geregelt werden und, ähnlich wie die Verfassungen der Protestanten und der

Katholiken durch ein entsprechendes Regulativ zu einer Art Staatsreligion gemacht werden. Tatsächlich wurde ja im gleichen Jahr noch der jüdische Theologe Dr. Samuel Holdheim*) als erster Großherzoglich-mecklenburgischer Landesrabbiner in sein Amt eingeführt.

Adine hatte an all diesen Vorgängen nur ein geringes Interesse. Der Schmerz über den Verlust ihres Vaters lastete doch sehr auf ihr, und ehe sie mit den beiden jüngeren Kindern nach Doberan entfloh, schrieb sie einen schwermütigen und traurigen Brief an ihren Ältesten nach Dresden, den wir hier vollständig wiedergeben wollen:

Schwerin, den 23t Juny 1840
Mein lieber Fritz,
ich seufze recht nach Nachrichten von Dir, und weiß gar nichts von Dir, schon acht Tage bin ich zurück und kein Wort von Sell, der sonst so fleißig seine Tage füllt, übrigens wird es Dir gewiß gut gehen, denn schlechte Nachrichten bekömmt man schneller wie gute. Ich selbst hätte Dir gern früher geschrieben, allein ich habe so viele Trauer Briefe zu schreiben gehabt, und dann war ich entsetzlich angegriffen, erst seit zwei Tagen erhole ich mich, es geht mir körperlich gut, aber ich bin entsetzlich traurig, wie könnte es auch anders sein nach solchem Verlust, man begreift es nicht, wie man solche

---

*) vgl.: Was blieb ..., Jüdische Spuren in Mecklenburg, S. 27 f.

Dinge überleben kann, denn wie wir unsern Papa geliebt, so werden wenige geliebt, wie herrlich war er auch, welche Liebe hatte er für uns, wie war er auch in seiner Krankheit immer gütig und freundlich, ach diese letzten Tage werde ich nie vergessen, sie waren schrecklich, dieser Kampf zwischen Leben und Tod, und dann das sanfte Ende, wie ein Einschlafen. Meine einzige Freude ist mit Fröhlenchen*) zusammen zu sitzen und von dem lieben Papa zu sprechen, denn sonst ist niemand recht hier, der meinen Schmerz so theilt, was natürlich ist, mich aber doch oft verletzt, denn ich habe keinen anderen Gedanken, wie er wohl mild auf seine armen Kinder herabsieht, wir Schwestern sind alle auseinander gesprängt, die Kaiserin**) in Ems, Louise**) im Haag und ich hier, wo es eigentlich recht lebhaft ist, wegen dem Exerzieren. Das wurde

---

*) Fröhlenchen: Annemarie von Both, Prinz Wilhelms Erzieherin

**) Kaiserin: Alexandrines Schwester Charlotte, die als Zarin den Namen Alexandra Feodorowna trug

Louise: eigtl. Luise, Alexandrines jüngere Schwester, seit 1825 mit Wilhelm, Prinz der Niederlande, verheiratet

mir auch schwer dahin auszufahren, denn das Militair erinnert doch so unendlich viel an Papa. Am Sonntag hatten wir Kirche im Lager*), darauf Parade, vom Wetter begünstigt, sie war recht schön, alles ging gut. Sonst ist das Wetter nicht hold, entweder kalt, und ist es warm, jagt ein Gewitter das Andere, im Gartenhaus*) bin ich darum nicht so viel wie sonst. Wir Damen führen ein sehr einsames Leben, des Abends sind wir in der gelben Stube*), sprechen, trinken Thee, oder die Gräfin ließt vor, doch die Zeit geht schnell dahin. Um 6 Uhr fahre ich gewöhnlich erst aus, was ich eben thun will. Leb wohl, Papa und die Geschwister grüßen.
Deine traurige
Mama Adine

*) Lager: das Manöverbiwak auf dem Großen Dreesch bei Schwerin
Gartenhaus: Demmler hatte das alte Greenhouse im Grünhausgarten Anfang 1840 umgebaut und ließ ein passendes Kavalierhaus dazu errichten, das mit einer Eisenbrücke an das Greenhouse angeschlossen wurde (vgl. Abb. S. 158)
Gelbe Stube: Eckzimmer im ersten Obergeschoß des Alten Palais, Alexandrines Lieblingszimmer

Alexandrines Alltag war auch in Doberan mit vielfältigen Belastungen verbunden, von denen sie ihrem Paul nichts vorjammern mochte. Auf dem Heiligendamm wurde gebaut. Demmler errichtete mit seinen Leuten drei Villen auf dem hohen Ufer nach Westen zu. Eine sollte der königlichen Familie als Sommersitz dienen, eine zweite war für die

Das „Alexandrinen-Cottage" am Heiligen Damm
Stahlstich nach einer Zeichnung von Julius Gottheil, 1850

Bedürfnisse der Gäste des großherzoglichen Paares bestimmt, und die dritte, ein zierliches Cottage am äußersten westlichen Rand des Badeortes, sollte Alexandrine selbst gehören. Als Alexandrinencottage nahm sie es auch ein Jahr später zusammen mit Paul Friedrich in Besitz. Sie ahnte nicht, daß dies ihr letzter glücklicher Ehesommer sein sollte.

Noch aber trug sie Trauer, und nur das große Musikfest, das um den 10. Juli herum in Schwerin stattfand, vermochte sie ein wenig aus ihrer Gedrücktheit herauszulösen: Felix Mendelssohn Bartholdy dirigierte sein großes Oratorium „Paulus" im Dom. Einem weiteren, diesmal weltlichem Konzert im Schauspielhaus mußte sie fernbleiben. Die Hoftrauersitten waren doch noch sehr streng.

Den August über war sie dann wieder in Doberan, bei kaltem und windigem Wetter und in ziemlich langweiliger Gesellschaft. Man machte Handarbeiten, lud hier und da einen illustren Sommergast zum Tee, oder eben: „die Gräfin" las vor. Dabei war die „Gräfin" gar keine Gräfin, sondern Alexandrines Kammerfrau Charlotte von Brandenstein, die ihrer hoheitsvollen Statur wegen „Gräfin" genannt wurde. Was las die Gräfin vor?

Auch davon können wir berichten, denn wir haben nicht nur verschiedene Hinweise aus den Briefen an Prinz Fritz, sondern auch einen Lektürezettel, ein paar mit Versen bedeckte alte Briefumschläge und ähnliche Notizen, die sich unter den vermischten Papieren des Alexandrinen-Nachlasses befinden. Es war fast ausschließlich Lyrik, was man las oder vorlas. In einigen zeitgenössischen Gedichtbänden im Bestand der Landesbibliothek findet sich auf dem Titelblatt ein zierliches, merkwürdig eingeknicktes „A", das man sofort als „Alexandrine" deuten kann, wenn man die Handschrift der Großherzogin kennt. Diese Sitte, gelesene Bücher zu zeichnen, hatte schon Herzog Friedrich der Fromme ein dreiviertel Jahrhundert zuvor eingeführt. Der allerdings hinterließ sein

124

„F" (stets mit Punkt!) in gänsekielbreiter Kalligraphie. Adines
„A" (stets ohne Punkt) war viel, viel zierlicher. Es findet sich
in Gedichtbänden von Burns und Lenau, die damals groß in
Mode waren, aber auch bei Schiller, in Puschkins übersetzten
Gedichten, bei Eichendorff und in den winzigen Damen-
Taschenbüchern hier und da.

Besonders die Dichtungen Lenaus gingen ihr wohl nahe, weil
seine düstere, voller Todessehnsucht überquellende Seelenlyrik
ihrer traurigen Stimmung ganz entsprach, und sicher wurden
Spitzentaschentücher die Menge benötigt, wenn die „Gräfin"
anhub:

Das Mondlicht

Dein gedenkend irr' ich einsam
Diesen Strom entlang;
Könnten lauschen wir gemeinsam
Seinem Wellenklang!

Könnten wir zusammen schauen
In den Mond empor,
Der da drüben aus den Auen
Leise taucht hervor.

(...)

Wenn nach dir ich oft vergebens
In die Nacht gesehn,
Scheint der dunkle Strom des Lebens
Trauernd still zu stehn ...

Großherzog Paul Friedrich kurz vor seinem Tode
Gemälde von Thedor Schloepke, 1843 posthum gemalt

Und solcher Sachen mehr. Plattdeutsches allerdings kommt bei Alexandrine nicht aufs Lesepult; sie kann es weder verstehen noch sprechen – kein Wunder, als Berlinerin. Plattdeutsch ist Sache von Paul Friedrich, der gelegentlich sogar plattdeutsch flucht, wenn es bei seinen Bauten nicht recht vorangehen will. Demmler hat gleich mehrere Sachen in Angriff nehmen müssen. Das Arsenal am Pfaffenteich, der Marstall auf der Wadewiese. Das alles kostet viel Geld. Der Seedamm! Der ist überhaupt Pauls Lieblingsidee, abgesehen von dem neuen Schloß, daß er seiner Frau auf den Alten Garten setzen will. Der Seedamm – später wird er Paulsdamm heißen, soll die Wespentaille des Schweriner Sees beim Ramper Moor überbrücken und damit die östlichen Landesteile näher an die Residenzstadt heranholen. So stapft Paul in Wasserstiefeln auf den Baustellen herum, treibt seinen rastlosen Demmler zu immer neuen Kopfgeburten und holt sich eine Erkältung nach der anderen. Dr. Hennemann, der Leibarzt, hat immer zu tun. Er kennt die Affektionen seines hohen Patienten. So robust, wie der aussieht, ist er nicht; wenn ihn erst ein kalter Nordost vom See her angeblasen hat. Aber Paul hört nicht. Statt, wie von seinem „Hennemännchen" befohlen, Kamillendampf zu inhalieren, läßt er sich von seinem Kammerdiener Meyer steifen Grog machen. Abends hocken die Herren, also der Großherzog, der Irrenarzt Flemming, der Baumeister Demmler, der Advokat Hobein, in ihrem „Jökelclub". Das alles ist Alexandrine eigentlich gar nicht recht. Was aber soll sie machen?

Auch diese zwei Gebäude errichtete Paul Friedrichs Hofbaumeister
G.A. Demmler während der „Königszeit" Alexandrines in Schwerin: Marstall
(oben, Bauzeit 1837 bis 1842) und Arsenal (Bauzeit 1840 bis 1844)
Zeitgenössische Lithographien

Jetzt jedoch sitzt sie noch im unwirtlich-kaltsommerlichen Doberan und holt sich ihrerseits eine schwere Erkältung. Am 1. August 1840 kommt der Erbgroßherzog, Prinz Fritz, nach Doberan in die Ferien und findet seine Mutter schon mit allen Anzeichen einer verschleppten Grippe vor – Schnupfen, Husten, Kopfschmerzen, schwere Glieder, ewige Müdigkeit, hin und wieder unleidliche Laune. Prinz Fritz, inzwischen schon ein sehr verständiger junger Mann, schickt nach Schwerin und läßt den Medizinalrat Hennemann holen, ohne es seiner Mutter zu sagen.

Hennemann trifft am 20. August „am Damm" ein. Über ihn haben wir schon in unserem Buch über die Großherzöge*) ausführlich berichtet.

Hochgewachsen, „ein schöner Mann" (Friedrich W. Rogge), breitschultrig, jedoch mit schmalen, fast zarten, einfühlsamen Händen. Der tut nun so, als wolle er eben nur mal so zufällig „vorbeischauen", was Ihre Königliche Hoheit so machen und wie denn der Allerhöchste Puls sei und überhaupt. Auch Hennemann ist erschrocken, als er seine schöne Herrin erblickt. Er untersucht sie sofort gründlich, zieht noch den greisen schaumburg-lippischen Hofrat und Leibarzt Dr. Bernhard Faust, der eben selbst in Doberan kurt, als Konsulenten hinzu und diagnostiziert eine schwere grippale Erkrankung, verbunden mit einem „Nervenfieber" und rheumatischen Beschwerden. Alexandrine muß sofort die in diesem Sommer so unwirtliche Küste verlassen und zurück

---

*) „Mecklenburgs Großherzöge", S. 41f

nach Schwerin, zurück ins Alte Palais, in ihr kleines Schlafzimmerchen über dem Durchgang zum Theater. Sofort! beschließen die Ärzte, sekundiert von Prinz Fritz und Paul Friedrich, der, von Hennemann alarmiert, ebenfalls, alles „Regieren" liegenlassend, nach Doberan geeilt ist. So geschieht es. Paul allerdings kann Adine nicht begleiten, denn er muß am gleichen Tage nach Ratzeburg, wo er sich mit Christian VIII. von Dänemark treffen will. Ich habe nicht herausfinden können, weshalb. Aber das ist ja, Alexandrine betreffend, auch ziemlich unwichtig.

Alexandrine verbringt zwei volle Monate auf dem Krankenlager. Täglich zweimal erscheint Dr. Hennemann mit seinem unangenehm kalten Höhrrohr. Erst hat sich eine Lungenentzündung eingestellt, und nachdem es ihm gelungen ist, die einzudämmen und zu verscheuchen, folgt eine Gürtelrose. Jeder Mensch, der diese Krankheit einmal gehabt hat, wird mitfühlen, was Alexandrine durchmachen muß. Erst Mitte Oktober klingt die Rose ab. Adine ist froh. Sie kann wenigstens wieder Briefe an ihren Fritz schreiben, der am 21. Oktober nach Bonn abgereist ist, um dort sein Studium der Rechte und der Geschichte aufzunehmen. *Lieber Fritz, mir geht es um etliches besser. Und mein guter Hennemann stellt jetzt immer sein schreckliches Höhrrohr eine Viertel Stunde auf den Kaminsims, ehe er mich ablauscht. Er sagt, daß ich die nächsten Tage ganz gesund bin. Ich habe große Angst gehabt das der Herr Gott mich von euch wegnimmt, denn auch meine Mama war in meinem Alter, nur wenig jünger, als sie in den Himmel gegangen ist.*

Am 1. November 1840 gestattet Dr. Hennemann der Großherzogin aufzustehen. Am 2. November, einem sehr milden, sonnigen, windstillen und lieblichen Spätherbsttag, so, wie man sie auch in Heiligendamm kennt, darf sie das erste Mal das Zimmer verlassen, wenn auch nur für wenige Minuten. Denn die Bürgerschaft der Residenzstadt veranstaltet, angestachelt von der neuesten Ausgabe des „Freimüthigen Abendblattes", einen Fackelzug für die genesene Großherzogin.
Nach glücklich erfolgter Wiederherstellung Ihrer Königlichen Hoheit, der allverehrten Großherzogin, von der Allerhöchst Sie betroffen habenden langwierigen, schweren Erkrankung, vereinigen sich die Einwohner der Haupt- und Residenzstadt Schwerin zu einem Fackelzuge, um Ihrer Königlichen Hoheit die Gefühle der treuesten Anhänglichkeit und die Freude über die Genesung der theuren Landesfürstin auszudrücken. (Staatskalender 1841, Annalen auf das Jahr 1840. S. 272). Alexandrine, am geöffneten Fenster der lieben „Gelben Stube" des Alten Palais, von Paul Friedrich und ihrem Töchterchen Louise gestützt, schaut hinunter auf „ihr Volk", das da auf dem Alten Garten mit Kerzen und Fackeln „wogt" und „Vivat" ruft, und sie schaut hinüber auf die bunte, verworrene Fassade des alten Schlosses drüben auf der kleinen Insel, die von der fast versunkenen Herbstsonne in ein wundersames, unwirkliches Licht getaucht ist. Ein Jahr des Glücks noch, ein Jahr noch „Königin von Mecklenburg".

*

1841: Keine Krankheiten, keine politischen Aufregungen, keine Katastrophen, nur im April Schneeverwehungen und im Juli ein ungeheuerliches Gewitter, das ganz Nordmecklenburg erfaßt, zwei Tage dauert und in der Gegend von Güstrow, Laage, Tessin und Rostock „den Feldfrüchten außerordentlichen Schaden" zufügt. Alexandrine schickt ihren Privatsekretär, den Geheimen Hofrat Zoellner, mit einem Geldgeschenk und einer *Hausrathsausstattung, namentlich Kinderwäsche und nöthige Geschirre*, nach Wiendorf im Amt Schwaan, wo der Blitz zwei Büdnereien in Brand gesteckt und gleichzeitig die durch die ungeheuerlichen Regengüsse über die Ufer getretene Warnow die wenige, nach dem Blitzschlag gerettete Habe der Leute weggeschwemmt hat. Da ist kein Antrag nötig, da fragt keiner nach Zuständigkeiten. Da kommt nur der Küster des heimgesuchten Dorfes, wird, wie es bei Paul Friedrich üblich war, am Petitionstage, also am Dienstag, vorgelassen, zieht seinen Hut und berichtet. „Gahn Se nah Hus, Köster", sagt Paul Friedrich, „min Fru ward' sick um kümmern". Und Alexandrine kümmert sich.

Sonst, wie gesagt, ist 1841 ein gutes, ein richtig fürstliches Jahr. Für ein paar Tage reisen Paul und Adine mit Louise nach Berlin. Sie nehmen an der Gründungsfeier des Zoologischen Gartens teil und erfreuen sich im Schauspielhaus an Jacques Halèvys Oper „La reine de Cypre". Eigentlich wollte man, einer Einladung aus Dresden folgend, die Einweihung der von Gottfried Semper soeben fertiggestellten

132

prachtvollen neuen Oper beiwohnen. Daraus wird aber nichts, indessen sind die Hinderungsgründe erfreulicher Natur: Man muß nach Neustrelitz reisen, wo die reizende Tochter des Vetters Georg von Mecklenburg-Strelitz, Caroline, eben zwanzig geworden, dem Kronprinzen Friedrich Carl Christian von Dänemark angetraut wird. Solche Gelegenheiten sind geeignet, den sonst nicht immer ungetrübten Familienfrieden zwischen den beiden mecklenburgischen Fürstenhäusern wieder einmal aufzubessern. Und die Hochzeit ist ja auch wirklich ein zierliches, von jubelnden Volksmassen umglänztes Ereignis. Und unser Louischen, inzwischen auch „süße Siebzehn", macht Kulleraugen. *Dein Schwesterlein hat wohl nun auch Brautträume. Sie war die Brautjungfer zur Rechten von Karroline, und sie kuckte wie als wäre sie selbst die Braut* (Alexandrine an Fritz, 22. 6. 1841).

Dann aber ab nach Doberan! Hier ist inzwischen das Cottage fertiggeworden. Stolz und zierlich zugleich steht es vor der Kulisse des Gespensterwaldes und öffnet seine Fensteraugen hinter der Loggia der anrollenden See. Einen schöneren Bauplatz hätte man am Heiligendamm, ja, wohl an der ganzen mecklenburgischen Ostseeküste, nicht finden können! Der schützende Buchenwald im Rücken, vorn das Hohe Ufer, unten die glänzenden, mit jeder Woge neu polierten Felsensteine, und dann die See, die sich donnernd oder sanft, träge oder wild, auf den Strand wirft. Alexandrine ist selig über die Maßen. Diesesmal bleiben sie, auch Paul hat das „Regieren" diesen Sommer ein wenig eingeschränkt, bis zum 8. September, denn am 3. müssen sie, Adine in einem *tannengrünen Kleide und mit einem Jägerhute anmutigst angetan,* der 5. *Deutschen Jahresversammlung der Land- und Forstwirte* präsidieren, die auf Einladung des Oberlandforstmeisters Dethloff von Bülow in Doberan abgehalten wird.

Dann aber: Endlich wieder einmal richtig verreisen! Mit der ganzen Familie will man die Rheingegenden erkunden. Über Frankfurt am Main geht es über Darmstadt, Heidelberg, Karlsruhe, Rastatt, Strasbourg und Basel nach Genf. Hier stößt auch Prinz Fritz zur Familie. Er hat zuvor eine Italienreise unternommen und sollte nun den Rest seiner Bonner Semesterferien mit den Eltern in der Schweiz verbringen. Bis zum 20. Oktober blieben sie noch im Land der hohen Berge, dann mußten sie zurück nach Schwerin, und Prinz Fritz nach Bonn, wo ihn der gestrenge Ernst Moritz Arndt mit seinen Vorlesungen zur deutschen Geschichte erwartete. Paul hatte, gleich nach der Rückkehr, einen wichtigen Termin: sein Kabinettsrat Prosch verhandelte mit Hamburg und Lübeck über den Eisenbahnbau nach Berlin.

Es war Paul Friedrichs letzte wichtige politische Verhandlung. Zwar hatte der Landtagsabschied am 8. Dezember noch einmal einige von der bösen Ritterschaft durchgepeitschte Steuern gebracht, die ihm eigentlich gar nicht recht waren, aber das war dann doch weniger wichtig. Ihm, Paul Friedrich, war immer das Naheliegende wichtiger. Und so kam, begleitet vom heftigen Frost des Januars 1842, der Gevatter Sensenmann und schnitt Paul Friedrichs Lebensfaden ab und zerstörte Alexandrines Glück und machte die „Königin von Mecklenburg" über Nacht zur „Großherzogin-Mutter", welchen Titel sie sich eigentlich erst für ihre späten Jahre hatte aufheben wollen. Von diesem schlimmen Ereignis wollen wir im nächsten Kapitel berichten.

*

IV.
Fünfzig Jahre Witwenschaft
1842 bis 1892

Überhaubt mein Gemüth kömmt
nicht in Ruhe;
bringt Gedanken und Gefühle hervor,
denen ich nicht entgegen
arbeiten kann.

Alexandrine an ihren Sohn Friedrich Franz,
Marienbad, 27. Juni 1849

Dieser Brief ist siebeneinhalb Jahre nach Paul Friedrichs Tod
niedergeschrieben worden.

Am 24. Januar 1842 entsteht in einem der neuerrichteten
Häuser nördlich des Arsenals, in der Alexandrinen-, heutigen
Karl-Marx-Straße ein Schadensfeuer. Bis auf den heutigen
Tag ist die Brandursache ungeklärt; möglicherweise hat sich
ein Schornstein entzündet.
Nachts, gegen zwei Uhr, weckt man den Großherzog; man
befürchtet ein Übergreifen des Feuers auf die Arsenalbau-
stelle und auf weitere Nachbarhäuser. Paul Friedrich, in diesen „naheliegenden" Sachen stets ein Mann der Pflicht,

springt sofort aus dem Bett, eilt zur Brandstelle und übernimmt „höchstselbst" das Kommando über die inzwischen eingetroffene Feuerwehr („vier Spritzen, 40 Mann, 16 Pferde"). Das Feuer wird eingedämmt, nachdem die ebenfalls herbeizitierten Grenadiere den zugefrorenen Pfaffenteich aufgehackt haben, um an Löschwasser zu kommen. Es sind, wie den Wettertabellen zu entnehmen ist, harsche minus 19°C. Paul, in einfachem Militärrock, barhäuptig, merkt natürlich in seiner pausbäckigen Unbekümmertheit und in seinem Eifer, als Landesherr auch oberster Feuerwehrmann zu sein, nichts von dem eisigen Nordost, der vom Ziegelsee her über den Pfaffenteich pfeift. Morgens gegen 6 ist das Feuer gelöscht. Paul begibt sich nach Hause, Alexandrine schließt ihn in ihre schlafwarmen Arme. Paul schläft wie ein Stein bis gegen 10 Uhr.

Als er erwacht, liegt er in kaltem Schweiß. Die Augen sind zugeschwollen, die Ohren dröhnen ihm, das Herz bummert, der Schüttelfrost hat ihn im Griff. Um 11 Uhr kommt Hennemann, der schon in der Brandnacht kopfschüttelnd die Nachricht seines Dieners vernommen hat: Der Großherzog selbst leite die Löscharbeiten.

Vier Wochen noch schleppt sich Paul mit der schweren Grippe hin. Dann packt ihn der Darmtyphus. Robert Koch, der den Erreger dieser unaufhaltsamen Krankheit 1880 entdecken wird, ist noch nicht einmal geboren. Hennemann ist machtlos. Er versucht alles, was er kann, fiebersenkende Tees, Kampfereinreibungen, kalte Kopfumschläge, lauwarme Klistiere, um die krankheitsbedingte Stuhlverstopfung zu lösen. Alles hilft nichts. Der große, starke Mann, der fröhliche Menschenfreund, Alexandrines Halt und Lebensstütze, der Großherzog Paul Friedrich, stirbt, erst 41 Jahre alt, am 7. März 1842.

Über seinen Tod und die Reaktion „seiner" Mecklenburger habe ich in meinem Buch über die Großherzöge schon hinreichende Mitteilungen gemacht – wiederholen will ich nur die Tatsache, daß selbst die linksliberale bürgerliche Opposition, die sich zu Anfang der vierziger Jahre im sogenannten Vormärz zu sammeln begann, um endlich gegen die stockkonservative Ritterschaft aufzumucken, den Tod des Großherzogs Paul Friedrich sehr bedauerte. Sie hatte in ihm und in der Person seiner Frau Alexandrine die Hoffnung gesehen, den versteinerten Landesgrundgesetzlichen Erbvergleich endlich gegen eine wenn auch noch monarchische, in ihren Grundzügen aber doch schon bürgerlich angelegte Verfassung einzutauschen. Mit Pauls Tod schwanden die Hoffnungen, und Ludwig Reinhard, der schärfste Kopf dieser bürgerlichen Opposition und zugleich ihr literarisch-publizistischer Sprecher, der wahrhaftig wenig Gründe hatte, der Monarchie zu huldigen, dichtete in seinem „Schwerin – ein Sommermärchen" in Heinescher Manier:

Nun ist er hin, nun ist er todt,
Gestorben und begraben,
Doch alle, die ihn einst gekannt,
Die wollen ihn wiederhaben.

Denn nun kam Alexandrines Ältester, der blutjunge Prinz Fritz, als Großherzog Friedrich Franz II. auf den mecklenburgischen Thron. Was würde das wohl werden?

Alexandrine, tief betroffen von den für sie wohl schreckenskammerhaften Tagen des Sterbens, rief ihren Sohn per Eilstaffette aus Bonn zurück. Er erreichte eben noch Schwerin, um seinen Vater in den Tod gehen zu sehen. Am Tage danach bereits wird die „hochselige Leiche" in der Hofdornitz des Schlosses aufgebahrt.

Am 12. schon beschließt die Bürgerschaft der Stadt die Stiftung eines Denkmals. Alexandrine, die in diesen Tagen der ersten tiefen Trauer nicht in der Öffentlichkeit erscheint, schreibt auf den Rand der Adresse: „Rauch soll es machen". So wird es geschehen. Demmler entwirft den Sockel mit den merkwürdigen „Docken", die Schweriner Schleifmühle kriegt zu tun. Dennoch wird es bis zum März 1849 dauern, bis Christian Daniel Rauch mit seiner überlebensgroßen Bronze und Demmler mit seinem Sockel fertig werden.

Das Denkmal ist ohne Zweifel Schwerins bedeutendste Großplastik, und es mag fast ein wenig märchenhaft klingen, daß die beiden Denkmäler für die beim Stadtvolk beliebtesten fürstlichen Personen, Paul und Alexandrine, zugleich auch die schönsten sind. Über Friedrich Franz II., den Reiter mit der Pickelhaube, wollen wir in diesem Zusammenhang den Mantel des höflichen Schweigens breiten.

Das Ding im Schloßgarten mag ja monumental sein – schön jedenfalls ist Ludwig Brunows Reiterfigur nicht gerade.

Was Alexandrines Denkmal betrifft, so werden wir zum Ende unseres Büchleins noch ein paar Anmerkungen und Mitteilungen machen.

Zurück in die Trauerzeit. Wilhelm Jesse schreibt im zweiten Band seiner Schweriner Stadtgeschichte: *In der Nacht vom 6. zum 7. März ging es zu Ende. Dicht gedrängte Volksmassen umstanden das Palais in banger Sorge. Als in der Frühe gegen 5 1/2 Uhr die Kunde laut wurde, daß Paul Friedrich gestorben sei, konnte man viele ältere und ernsthafte Männer weinen sehen. Es war eine aufrichtige Trauer, mit der Schwerins Bürgerschaft, arm und reich, diesen Fürsten beweinte. Man sah in der Trauerwoche kein Dienstmädchen, keine arme Arbeitsfrau, die nicht mindestens ein schwarzes Band angelegt hatte.* (Jesse, Wilhelm, Geschichte der Stadt Schwerin, Bd. 2, S. 404).

Nach mehrtägiger Aufbahrung in der Hofdornitz wurde der Sarkophag mit Pauls sterblichen Resten am 19. März 1842 in der Heiligenblutskapelle des Domes beigesetzt. Alexandrine, die die feierliche Beisetzung in völliger Erstarrung überstand, brach danach vollkommen zusammen. An den zahllosen Kondolenzempfängen konnte sie nicht oder nur sehr selten teilnehmen; Migräne, ständige Übelkeit, Teilnahmslosigkeit und heftige Weinkrämpfe überfielen sie. Obwohl Friedrich Wilhelm IV. und Prinz Wilhelm von Preußen, ihre Brüder, über die Beisetzung hinaus in Schwerin anwesend sind und erst am 20. bzw. 21. März wieder abreisen, findet sie keine

Ruhe. Nachts schreibt sie Briefe, auch an den Sohn Friedrich Franz, obwohl der doch in Schwerin anwesend ist und seine neue Würde üben muß: *Das Sausen in meinem Kopf hat sich ganz gegeben, aber meine Beine sind ganz untauglich, zwar bin ich die Treppe herunter geschlichen, ich glaube, ich habe eine viertel Stunde gebraucht um herunter zu kommen und bin mit den kleinen Pferden zum Greenhouse gefahren, dort habe ich mich vor dem Haus hingesetzt, die Luft that mir sehr wohl, Fieber gezeigt hat sich den Tag über nicht, ich nehme eine kühlende Medicin die mir gutthut, Du brauchst Dich nicht um Deine alte Mama zu ängstigen ...* (28. April 1842).

Es klingt wie ein Witz, aber nun kriegt auch noch der junge Großherzog die Masern. Alexandrine hat nun wirklich Ablenkungen genug. Nachdem ihr „Herr Sohn" mit den Masern durch ist, kann man endlich nach Doberan und Heiligendamm entfleuchen. Von hier aus muß Friedrich Franz einige familienpolitische Pflichten übernehmen, um seine immer noch leidende Mama Adine zu entlasten. In Strelitz feiern nämlich der Großherzog von Mecklenburg-Strelitz und seine Gemahlin, Marie Friederike, geborene Landgräfin von Hessen-Cassel, ihre Silberne Hochzeit. Adine hatte auch hier aus Trauergründen absagen müssen. Noch ist sie ja, da ihr nun regierender Sohn Friedrich Franz bislang unverheiratet ist, die regierende Großherzogin. Also muß der grüne Junge nach frisch überstandener Kinderkrankheit die Mutter vertreten. *Hoffentlich schadet Dir die Reise nicht, und das nicht die helle Sonne Deine Augen angegriffen hat!* notiert sie ihm auf einem Zettel (mit schwarzem Trauerrand!), bevor er am 11. August abreist.

Alexandrine bleibt bis in den späten, dieses Jahr sehr milden Herbst „am Damm". Ihre Briefe, alle auf dem schwarzumrandeten Trauerpapier, klingen traurig. *Die Reise nach Rügen, die ich mit Deinem lieben Papa habe machen wollen, muß auch wohl aufgegeben werden, weil ich mich noch nicht kräftig genug fühle* (28. 8. 1842).

Im Herbst beginnt sie sich langsam zu erholen. Es freut sie, wenn Besucher kommen, die nicht nur mit Trauermiene dienern. *Herr vom Stein, den Freiherrn sein Enkel, ist hier gewesen und hat mir gesagt, daß Professor Rauch in der Mitte vom November herkömmt, und ich freue mich schon auf ihn, er ist ein gelehrter und guter Mann und Freund. Er will Pauls Bilder anschauen und ich soll ihm erzählen, wie Papa war und er braucht es für das Denkmal. Auch die Committe*) will er empfangen.*

---

*) Committe: Alexandrine meint das von der Bürgerschaft der Stadt Schwerin gegründete Denkmalskomitee (12. 3. 1842)

Mit Rauch sprach sie lange im „Gelben Zimmer" am 21. November 1842. Der berühmte Bildhauer, damals schon 65 Jahre alt und in Alexandrines Augen schon ein alter Mann, hatte klare Vorstellungen des Vorhabens. Mit seinem beredten Gesicht, mit seinem großen, fast kahlen Schädel auf der mächtigen breiten Handwerkerfigur und mit seinen riesenhaften behaarten Pranken malte er Alexandrine ein mitreißendes Bild seines Projekts. *Der Professor machte mit seiner Koole dicke Skitzen von Pauls Kopf, während ich erzählte, und Papas Haartolle malte er so schnell, daß ich lachen mußte. Da küßte er mir die Hand und sagte Wie schön, sie haben gelacht (30. 11. 1842).*

So geht das elende Trauerjahr hin. Alexandrine drängt ihren großen Jungen zur Brautschau, aber es fruchtet nicht. Friedrich Franz ist doch noch zu jung und meint, er müsse erst das Regieren und dann das Freien lernen. Auch darüber muß Mama Adine lachen. Hennemann indes, der ihr mit seiner schwindenden Gesundheit und seinen Selbstvorwürfen (er meint, er hätte Paul Friedrich doch retten müssen) in letzter Zeit gar nicht recht gefallen will, drängt sie, eine Kur zu machen. „Sie müssen, meine verehrteste Alexandrine, unbedingt auf sechs Wochen nach Marienbad! Unbedingt! Ihre Nerven, Ihr Herz ... Ich habe schon bei meinem dortigen Kollegen, dem Badearzt Professor Nandini, angefragt; man wird sie bestens behandeln und versorgen!" Alexandrine reist am 1. Juni 1843 nach Marienbad. Sie ahnt nicht, daß ihr lieber und vertrauter Hennemann, der einzige Mensch außerhalb der Familie übrigens, dem sie gestattet hatte, sie mit ihrem Vornamen anzureden, daß ihr Arzt und Freund nicht mehr am Leben sein wird, wenn sie wiederkommt.

Aus Marienbad an Fritz am 10. Juni 1843:

... Du glaubst nicht wie langweilig es hier ist, außer beim Brunnentrinken Morgens sieht man sich nicht. Vorgestern war ein Tag ohne Regen, dann kommt alles in Bewegung, man begegnet sich mal. Ich mache Nachmittags Spatzierfahrten, wo mich Wilhelm*) vorgestern nach dem Kloster Tepel (Teplice) gefahren hat, indem sich der Prälat bei uns hatte anmelden lassen und uns zu einem Besuch eingeladet ... Das Kloster sieht von Außen schmutzig aus, aber innen der Prälat wohnt süperbe, 3 große Zimmer wie Säle, nicht unbehaglich, und er sagte, das es aber sehr kalt wäre. Dann besahen wir das Kloster selbst, alles sehr groß, auch in zwei Zellen waren wir, die so abscheulich schmutzig und eine stinkige Luft hatten, daß wir machten wieder heraus zu kommen. Die Kirche ist recht schön, aber nicht so groß. Eine große Bibliothek mit manchen interessanten Handschriften, unter anderem Briefe von Goethe, der ihnen (den Mönchen von Teplice, J. B.) eine Steinsammlung gesendet, auch fanden wir ein Bild von Friedrich dem Großen, auch von Katte, beides sehr auffallend. Dann tranken wir Thee mit dem Prälaten.

---

*) Wilhelm: Alexandrines jüngerer Sohn, damals 16 Jahre alt, der sie nach Marienbad begleitet hatte.

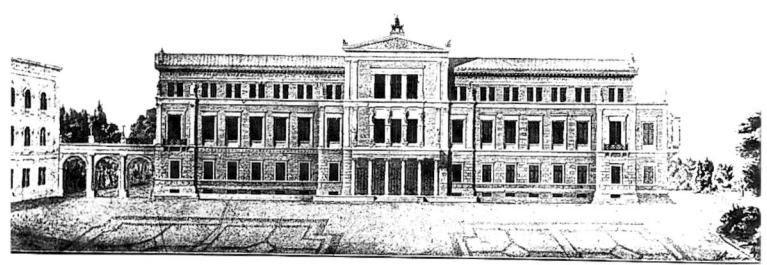

*Das von G.A. Demmler entworfene, aber nie gebaute Palaisgebäude
für Paul Friedrich und Alexandrine am Alten Garten*

Nun beginnt das Witwenleben, und Alexandrine muß ihren
Hofstaat verkleinern. Zwar ist sie, wie schon gesagt, mangels
einer Ehefrau ihres Sohnes immer noch pro forma die Regierende Frau Großherzogin. Aber was hat sie schon zu regieren.
Friedrich Franz hat die Freunde seines Vaters als Berater
übernommen, und Demmler, der alle von Paul Friedrich
initiierten Bauten, mit Ausnahme des neuen Schlosses,
inzwischen fertiggestellt hat, bekommt den Auftrag, das alte
Schloß auf der Insel zu durchbauen und etwas Neues daraus
zu machen. So läßt er die Arbeiten an den Fundamenten von
Pauls Schloß einstellen und mit einem Bauzaun umgeben.

Wenn Alexandrine aus dem Fenster ihres geliebten Gelben Zimmers im Alten Palais sieht, dann sieht sie auch den Bretterzaun und denkt an die dahinter versinkenden Träume von den verglasten Loggien, die auf den See hinaus gedacht waren, und von dem zierlichen Bogengang, der zum benachbarten Schauspielhaus hinüberführen sollte. Demmler reist im Auftrage seines neuen Herrn nach Frankreich und besichtigt dort die Loire-Schlösser, bis er in Chambord sein Denkmodell für Schwerin entdeckt. Und Alexandrine wird fast bis ans Ende ihres Lebens auf den verrottenden Bauzaun blicken, bis Willebrand 1877 beginnt, auf den von Demmler gelegten Fundamenten das Museum zu errichten.

Alexandrine bleibt im Alten Palais und hat auch keinerlei Ambitionen, später einmal in das Inselschloß zu ziehen, obwohl Friedrich Franz sie drängt. *Nein, ich bleibe, wo ich mit Paul glück seelig gewesen.* Um Paul Friedrichs Andenken baut sie einen kleinen Kultus auf.

Die spätere preußische Kronprinzessin Cecilie, ihre Urenkelin, erinnert sich in ihren etwas schwülstigen Memoiren: *Meine persönlichen Erinnerungen an die alte Dame sind zwar wenig deutlich, da ich erst sechs Jahre alt war, als sie starb; ich habe jedoch so viel von meinen Verwandten und aus ihrer langjährigen nächsten Umgebung von ihr gehört, daß ich es mir nicht versagen kann, ihr Bild, so wie es sich mir gestaltet, festzuhalten. Seit dem frühen Tode ihres Gemahls, des Großherzogs Paul Friedrich, bewohnte meine Urgroßmutter das Alexandrinenpalais am sogenannten Alten Garten; es war eine sehr bescheidene Behausung, innen aber*

146

urgemütlich. Die Stuben waren angefüllt mit Nippes, bunten Glasgefäßen und unzähligen Pozerallanmöpsen, die mich als Kind immer wieder entzückten, wenn ich die unberührten und geheiligten Räume noch lange nach ihrem Tode mit größter Andacht durchwanderten durfte. Sie hatte bis zu ihrem Heimgang das Ankleidezimmer ihres Gemahls unberührt gelassen: da lagen noch sein Militärrock, die Bürsten, die Theaterzettel von seinem Todestag, alles so, als wenn er jeden Augenblick wieder hereintreten könnte. Den größten Teil ihres Lebens hat meine Urgroßmutter in diesen anspruchs-losen Räumen verlebt. Wie oft haben Zeitgenossen die alte Dame mit ihrem freundlichen, von grauen Locken umrahmten Gesicht am Fenster sitzen sehen! Wie oft grüßte sie die mit Trommeln und Pfeifen von ihren Übungen heimkehrenden Soldaten von ihrem Platz herunter, wie oft gab sie damit den treuen Mecklenburgern die Gewißheit: dort sitzt eine Mutter, die euch daheim willkommen heißt!

An anderer Stelle beschreibt Cecilie den Habitus ihrer Urgroßmutter: *Sie war, obschon an Gestalt nicht groß, gleichwohl eine imponierende Erscheinung. Das weißlich graue Haar war über den Ohren in Flechten aufgesteckt, darüber wurden Tüllmützen mit Bändern getragen. ... Um die Schultern pflegte meine Urgroßmutter einen Shawl oder eine Spitzenecharpe zu tragen. ... Bei feierlichen Gelegenheiten wurde auf die Tüllmützen ein großes Diamantdiadem gesetzt, das den Eindruck der Würde ... noch vertiefte.*

In ihrer Kleidung hatte sie die Mode der 30er Jahre festgehalten und ist dieser Art bis zu ihrem Tode treu geblieben. Für gewöhnlich trug sie schwarz, an Festtagen bei abgelegter Trauer auch grau und bei feierlichen Gelegenheiten meist weiß. ... Zum Schnitt ihrer Kleider gehörte die Schneppentaille, die fest herunter gearbeitet, aber nicht geschnürt, sondern ziemlich weit war; der daran befestigte weite und faltige Kleiderrock stand etwas ab, da im Unterkleid – ein Anklang an die einstige Krinoline – kleine Stahlreifen angebracht waren. ... In den letzten Jahren ihres Lebens bediente sie sich stets, auch im Zimmer, eines Stockes zum Gehen, der, wenn sie Gesellschaftskleider trug, weiß sein mußte...

Und weiter erinnert sich Cecilie:
... Bei den Bällen, Konzerten und Diners im Schloß bildete die Großherzogin-Mutter stets den natürlichen Mittelpunkt; sie kannte seit Genrationen die Angehörigen der Gesellschaft und nahm an aller Schicksal regen und wahrhaften Anteil. Sie hatte mittags täglich Gäste im kleinen Kreise bei sich; vormittags pflegte sie Besuche anzunehmen.

*

Alexandrine legte sich jetzt aufs Reisen. So gemütlich sie es in ihrem Alten Palais hatte – immer nur am Fenster sitzen und den exerzierenden Soldaten auf dem Alten Garten zusehen, wie es die Schweriner Legende behauptet, das mochte sie auch nicht.

Den Sommer 1844 bringt sie in Zarskoje Selo zu und leistet ihrer Schwester Charlotte Gesellschaft, die als Zarin den Namen Alexandra Feodorowna trägt, nichtsdestotrotz aber doch die deutsche Prinzessin geblieben ist. Mühselig hat sie die russische Sprache gelernt, mit ihrem Mann, dem Zaren Nikolaus I. Romanow sprach sie in der Regel französisch, weshalb sie wohl auch den Pressebericht aus dem Russischen ins Französische übersetzen ließ. Ob Alexandrine und ihre Schwester Charlotte-Alexandra über diese Schmonzette von 1836 gesprochen haben? Denkbar ist es wohl, denn sie hatten sich Jahre hindurch nicht gesehen, aber Alexandrine hat die handschriftliche Aufzeichnung ihrer Schwester aufbewahrt.

1845 bereist Alexandrine Italien, von Palermo über Brescia bis hinauf ins Tirol, nach Brixen und Bozen, sie wandert (!) die Etsch entlang und denkt doch immer an Mecklenburg. *Gott mit Dir, mein Junge*, schreibt sie an den Sohn, *wie mag es mit dem Landtag gehen? Ewig Deine alte treue Mama Adine* (aus Brixen am 16. November 1845). Auf dem Landtag schlagen sich die adligen Ritter mit den bürgerlichen Gutsbesitzern herum, die endlich auf gleiche Rechte pochen und auf die Verfassung für das neue Mecklenburg, die, auch

149

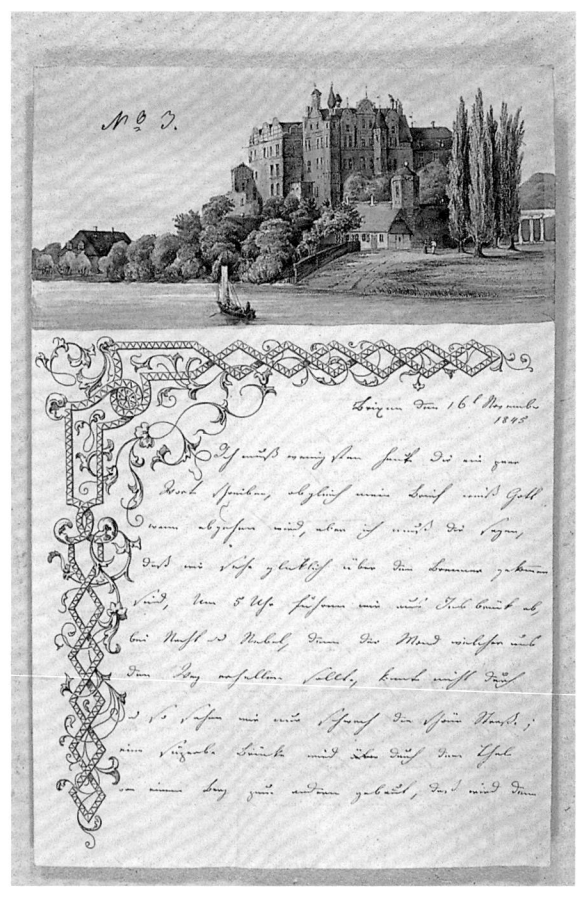

Brief Alexandrines vom 16. November 1845

150

von Friedrich Franz quasi versprochen, auf sich warten läßt. 1844 hat der Verfassungsrechtler und bürgerliche Gutsbesitzer Dr. Samuel Schnelle auf Buchholz seine schützende Asylhand über den in Preußen gejagten Dichter Hoffmann von Fallersleben gehalten. Es gärt im Land. Alexandrine reist.

1846 führt sie eine zweite Italienreise erneut nach Palermo, sodann nach Neapel und nach Rom. Der Papst empfängt sie in Privataudienz am 11. April 1846. Ihre Briefe von dieser Reise sind wie ein Reisetagebuch aufgebaut und numeriert. In Nr. 32 vom 12. April 1846 notiert sie: *Der Papst* (Gregor XVI.) *ist ein uralter Mann, wohl über achtzig Jahre, aber ein schöner Mann, nicht groß, brennende Augen und lebendigen Ausdruck, spricht sehr gut deutsch, scheint animabel, hat aber wohl etwas böses im Blick, sonst scheint er sehr demüthig, es geht ihm schlecht, er lebt nur von den Wohlthaten seines Amtes.* Zwei Monate später ist Gregor der Sechzehnte tot.

Dann kommt das Jahr 1848 heran mit all seinen revolutionären Aufregungen. Alle gekrönten Häupter Deutschlands fürchten um den Bestand ihres Thrones; natürlich fürchtet auch Alexandrine um ihren Sohn und um ihren Bruder, den Preußenkönig F. W. IV. Der allerdings kommt glimpflich davon und zieht seinen Hut vor den Märztoten in Berlin. Lieblingsbruder Wilhelm indessen hat die größeren Schwierigkeiten. Durch seine verschiedentlich allzu forschen Auftritte hat er sich schon 1847 den Spitznamen Kartätschenprinz eingehandelt. Urheber dieses Namens war der aus Potsdam stammende Student Max Dortu. Drei Jahre später, Wilhelm war bereits Prinzregent, mußte er als Stellvertreter seines Bruders, des sanftmütigen Friedrich Wilhelm IV., das Todesurteil für Dortu unterzeichnen, der am Badischen Aufstand teilgenommen hatte und dafür in den Festungsgräben von Rastatt füsiliert wurde (womit auch, auf Dortu bezogen, die bis heute gebräuchliche Redensart „Erschossen wie Robert Blum" aufkam). Theodor Fontane, der das alles als Zeitgenosse miterlebte, meint jedoch, das Todesurteil sei durchaus keine Rache für den Spitznamen Kartätschenprinz gewesen, aber, so Fontane, *das Urteil umstoßen ging auch nicht; und das tiefe Mißbehagen, in dem der Prinz sich befand, kleidete er in die Worte: „Dann müßte Kinkel auch erschossen werden."* Diese merkwürdige Auffassung von Gerechtigkeit mußte Gottfried Kinkel allerdings nicht erleiden, denn er war soeben mit Hilfe des Studenten Carl Schurz und mecklenburgischer Demokraten und Schiffseigner aus der Festung Spandau, quer durch das nördliche Brandenburg und Mecklenburg, ausgebüxt und befand sich im sicheren Exil jenseits des Meeres.

Zunächst aber hatte Wilhelm, der Kartätschenprinz, vor den aufgebrachten Berliner Volksmassen ausbüxen müssen. Über diese abenteuerliche Flucht (in Perleberg wollte man ihn erschlagen, in Grabow eilte das Volk, mit Sensen bewaffnet, an den Bahnhof usw.) sind mehr oder weniger phantasievolle Berichte in größerer Zahl geschrieben worden. Der wohl zutreffendste und kürzeste ist der von Otto Vitense in seiner „Geschichte von Mecklenburg". Wir wollen uns die Einzelheiten deshalb hier ersparen.

Alexandrine erfuhr von diesen Vorgängen durch den Herzog Gustav, ihren Onkel, der den Prinzen in seiner „Villa Gustava" am Ortsrand von Ludwigslust über Nacht verbarg und ihn am 25. März 1848 mit einem „unauffälligen Wagen" (Vitense) nach Hagenow-Land an die Bahn bringen ließ. Aber auch hier wurde Prinz Wilhelm wieder erkannt und, als vermeintlicher Urheber der Todesschüsse von Berlin, ernstlich bedroht. Erst ein Hagenower Bahnbeamter höherer Charge, der Bahnmeister Fritze, schaffte es, den Prinzen in Bergedorf an den preußischen Konsul abzuliefern, der ihm eine Schiffspassage nach London besorgte. An Alexandrine schreibt er am 18. Mai: *In der ganzen Leidenszeit, die mich seit unserem Abschied* (im Januar 1848) *traf, habe ich Dir kein Lebenszeichen gegeben, aber Du auch mir nicht! Wie schwer wurde es mir, Dich nicht von Ludwigslust aus zu besuchen ... Aber ich mußte eilen, um nicht eine zweite Episode wie in Perleberg zu erleben ... Ich weiß noch nicht, was ich jetzt über meine (Rück-)Reise beschließen kann. Was ist aus unserem alten Preußen geworden? Ein neues; wie dies aber sein wird, ist noch nicht vorauszusehen ...es ist meine Pflicht, dem König beizustehen*), denn er hat über den Gang der Regierung zu entscheiden. – Adieu. Grüße die Kinder. Ewig Dein Wilhelm.*

---

*) Die spätere Geisteskrankheit des Königs begann sich schon abzuzeichnen.

Großherzogin-Mutter Alexandrine, 1856
Gemälde von Fr. Kaulbach

Großherzogin-Mutter Alexandrine, 1891
Gemälde von J. Blitz

155

Wir wissen nichts über Alexandrines Reaktion. Überhaupt haben wir den Eindruck, daß sie weder von ihrem Sohn, dem Großherzog, noch von der mecklenburgischen Regierung richtig und vollständig unterrichtet wurde. Vielleicht wollte man sie schonen.

Friedrich Wilhelm IV., als er am 3. Juli mit schon ziemlich wirrer Hand und etwas verschwommen seine Meinung über den als Reichsverweser vorgesehenen Erzherzog Johann und die Frankfurter Versammlung an seinen Neffen nach Schwerin mitteilt, fügt nur seiner Paraphe den Gruß an: *Ich küß' Alex-Schwesterl.*

*

Alex-Schwesterl verschwindet zusehends aus dem Blickfeld und dem Interesse der Öffentlichkeit. Die Jahre gehen hin, der Rhythmus ist immer gleich: Winter über im Alten Palais, Frühling im Greenhouse, Sommer in Doberan, Herbst in Marienbad. Dazwischen hin und wieder in Raben Steinfeld „übern See". Nie im 1857 mit großem Prunk eingeweihten Schloß!

Alexandrine mit Kaiser Wilhelm I.
in Heiligendamm, 1883

Das Greenhouse in Schwerin.
G.A. Demmler baute es 1838 bis 1840 für Alexandrine um und fügte das
Kavalierhaus (rechts) an. Stahlstich nach Julius Gottheil

Im Frühling, wenn sie in ihrem geliebten Greenhouse oder im dazugehörigen Garten sitzt – ungefähr dort, wo sich heute ihr Denkmal von Hugo Berwald befindet – oder in einem kleinen Eselswägelchen frank und frei im Schloßgarten herumkutschiert, nähert sich ihr das Schweriner Stadtvolk mit Devotion, aber auch ein wenig frech, und petitioniert. Man weiß: Die Alte Hoheit hat ein Herz für die Leute, und bei ihr erreicht man vielleicht mehr als beim Großherzog, dem doch nach nunmehr fast zwei Jahrzehnten Regierung der Ruf einer gewissen Unnahbarkeit zugewachsen ist.

Über diese Dinge gibt es sowohl Anekdoten als auch Dokumente. Eine von Hofrat Zöllners Hand, dem inzwischen uralten Faktotum, geführte Kladde liegt im Landeshauptarchiv. *Ersch. heutigen Datum, den 4. May 1856, die Besorgerin Schulte von der Schelfe und bittet um Hilfe von ihrem Manne geschieden zu werden der sie schlägt und den Lohn vertrinkt, aber der Pastor Seidel*) sagt, daß sie ihn behalten soll und ihn bessern. Die Frau Großh. soll mit ihm* (dem Pastor Seidel, J. B.) *sprechen.*

Ob das etwas genützt hat? Auf jeden Fall hat Alexandrine der Frau erst einmal zugehört. Später, als der Hofrat Zöllner in Ehren ergraut stirbt, bewilligt die Schatulle des großherzoglichen Hauses keinen neuen Privatsekretär. So übernimmt zunächst der Baron Stenglin (über den wir schon berichtet haben) neben seinem Hofmarschall-Amt auch diese Rolle. Erst in den siebziger Jahren, nach dem glorreichen Sieg über die Franzosen, ist wieder Geld da, und noch einmal kann Alexandrine einen eigenen Sekretär beschäftigen, zunächst den Hofrat Krüger, dann, bis zu ihrem Tode, den Hofrat Detmering. Die Handschriften aller dieser Herrn sind zum Fürchten.

---

*) Heinrich Alexander Seidel (1811 bis 1861), Vater des Dichters Heinrich Seidel, Pastor an St. Nikolai („Schelfkirche") in Schwerin

Die Anekdoten hingegen – mal in Zeitungen überliefert, mal mündlich tradiert – sind amüsant. Ein Beispiel: Alexandrine, schon hoch in den Achtzigern, kutschiert mit ihrem Eselswagen

Alexandrine im Eselswagen
vor dem Greenhouse,
um 1885

durch den Schloßgarten. Die lammfromme Eselin, die das Wägelchen zieht, heißt übrigens – nur Alexandrine wird gewußt haben, warum – Cölestina.
An der Brücke zwischen Greenhousegarten und Pavillon steht ein Bettler mit geöffneter Hand und verbeugt sich tief.

Die Greisin in dem Eselswagen stoppt ihre Cölestina. „Was geht er nicht arbeiten, Kerl?" schnauzt sie den Mann an. „Ach, Hoheit", sagt der, „seit meiner Kindheit schon bin ich ßu un ßu faul, was soll ich machen?" Da muß Alexandrine lachen und schenkt ihm einen Taler. „Aber nicht, daß er hier morgen wieder steht!" – „Gewiß nicht, das reicht bis Sonntag!" Daraus sieht man: Sie hat Strenge *und* Humor. Langsam, aber stetig wird sie zur Legende. Noch einige Male wird ihr Leben durch die großen Ereignisse der Zeit erschüttert, und einmal muß sie sogar mit einem handfesten Skandal fertig werden – mit der von der zeitgenössischen Presse sogenannten Affäre Regenstein. Diese Affäre wird durch eine Frau ausgelöst, die 1835 in Schwerin geboren worden war: Charlotte Regenstein, geborene Schulze. Sie heiratete schon mit 15 Jahren ihren Cousin, den ehemaligen schleswig-holsteinischen Offizier und späteren Kammerregistrator Carl Regenstein, der bei der Domanial- und Forstverwaltung eine Art Gogolsches Revisorendasein fristete und am Staub seiner Akten 1860 starb. Seine noch sehr junge Frau saß mit den vier Kindern da und brachte sich mit einer kleinen Rente zunächst ein paar Jahre durch, bis sie 1870 an die Groß-herzogin-Mutter petitionierte, zwar nicht wie der Bettler im Schloßgarten, sondern mit einer gramgebeugten, aber stil-vollen Eingabe.

Alexandrine ließ die augenscheinlich geistreiche junge Frau zu einem Gespräch kommen und war so entzückt von ihr (die Regenstein konnte zum Beispiel den halben Storm auswendig und sang die „Lorelei" zur Laute), daß sie –

wahrscheinlich spontan – ihr die freigewordene Stelle einer
Kammerfrau anbot, denn Sophie Klockow, die der Großherzogin seit 30 Jahren treu gedient hatte, war gerade
gestorben. Im Herbst 1870 trat Charlotte Regenstein die
Stelle an. Aber es ging nicht gut. Sie hatte ihren Kopf für
sich, verstand nicht, ihre Chefin zu respektieren, sie wider-
sprach, sie begeisterte sich für Bismarck, was Alexandrine
nun überhaupt nicht mochte. Sie hielt es doch mehr mit
ihrer Schwägerin, der preußischen Königin Auguste, die sich
in die Politik Bismarcks einzumischen versuchte, weil sie
fürchtete, er, Bismarck, werde die Sympathie der befreundeten
deutschen Herrscherhäuser zu Preußen verscherzen. Das
wollte Alexandrine auf gar keinen Fall, denn sie war Preußin
von Geburt und Mecklenburgerin von ihrer Herkunft. Und
diese junge Frau, die sie aus Mitleid und Bewunderung in
ihren kleinen Hofstaat aufgenommen hatte, machte Gegen-
reden. Außerdem tratschte sie herum. Die Freifrau von
Seydewitz, als Erste Kammerfrau sozusagen die adlige
Kollegin der bürgerlichen Frau Regenstein, hinterbrachte der
Großherzogin-Mutter, daß jene „Geschichten" verbreite und
aus dem Nähkästchen plaudere. War es der adlige Neid auf
die Bürgerliche, der es gelungen war, an den Hof vorzu-
dringen? Wir wissen das alles nicht, denn es gibt nur den
Pressetratsch, ein, zwei Randbemerkungen und Andeutungen
in Alexandrines Briefen und, seit 1875, die „perönlichen
Mitteilungen" an Charlotte Regensteins Biographen Franz
Brümmer, der ihr in seinem „Lexikon der deutschen Dichter
des 19. Jahrhunderts" eine ganze Spalte widmete. Sie sei

Die „Alte Hoheit" Großherzogin-Witwe Alexandrine, 1888

„für die Thätigkeit am Hofe gänzlich ungeeignet gewesen",
notiert Brümmer. Jedenfalls warf Alexandrine (ihre Strenge
übertraf diesesmal ihren Humor) die Klatschtante 1876 zu
Neujahr mit Getöse hinaus. Die Stelle der Zweiten Kammerfrau blieb seither unbesetzt. Frau Regenstein entzog sich
dem öffentlichen Gerede und ging nach Dresden, wo sie (so
Brümmer im „Deutschen Nekrolog") mit einer „gleich-
gestimmten Freundin" eine Wohnung bezog und sich fortan
der Schriftstellerei widmete. Unter dem Pseudonym „Alexander
Römer" verfaßte sie bis zu ihrem Tode 1904 noch rund 25
Romane. Einer dieser Romane („Unter dem Purpur", 1890),
ist eine Art literarischer Verarbeitung ihrer Erlebnisse am
mecklenburg-schwerinschen Hof, und Alexandrine, die das
Buch noch kurz vor ihrem Tode zu Gesicht bekam, soll einen
richtigen preußisch-königlichen Zornesanfall bekommen
haben. Mit dem Fuße aufstampfen, wie sie es als junge
Prinzessin unter der Aufsicht der Kameke gern tat, konnte sie
nicht mehr; 1890 saß sie längst im Rollstuhl. Aber sie
versuchte noch, über den Hofadvokaten, den Justitiarius
Hofrat Franz Sachse, einen Prozeß gegen die Kolporteuse
anzustrengen; der unterblieb jedoch, denn Sachse riet:
„Königliche Hoheit, die Tochter der Königin Luise prozessiert
nicht gegen den Pöbel!"
Ich ließ mir in der Landesbibliothek (sie haben einfach
alles!) das abgegriffene, von der Schweriner Neugiermeute
natürlich eifrigst und vielfach entliehene Bändchen geben
und versuchte, es ganz durchzulesen. Es gelang mir nicht.
Das Buch, wo es denn gewisse Ähnlichkeiten zu den

Verhältnissen um Alexandrine zu erkennen gibt, ist von einer
solchen schmierigen Kitschigkeit, daß man es wirklich nicht
aushält. Gewiß, der Zeitgeschmack vom Ende des 19. Jahrhunderts muß in Betracht gezogen werden, aber sonst ...
Dargeboten wird die Liebesaffäre eines Prinzen und späteren
Fürsten mit einer Landpfarrerstochter, die von der alten Für-
stenmutter mit Feuer, Schwert und Galle unterbunden wird.
Eine Schmonzette, die Vorlage für einen Sissy-Film hätte
werden können, wäre da nicht jener schmallippige,
lutherstrenge Theologe namens Friedbert, den jeder in der
mecklenburgischen Kultur- und Kirchengeschichte bewanderte
Leser sofort und eindeutig als den Landessuperintendenten
Theodor Kliefoth (1810 bis 1895), genannt „Papst von
Mecklenburg", identifizieren würde.

*

Was die Familie betrifft, so kommt Alexandrine eigentlich
aus all den Trauerfällen nicht heraus. Sie überlebt sie alle.
Ihr Sohn Friedrich Franz II., der dreimal geheiratet hat,
stirbt 1883, eben sechzig Jahre alt. Seine erste Frau Auguste
von Reuss-Schleitz-Köstritz, deren prächtiges und hoheits-
volles Ganzfigur-Bild von Friedrich Kaulbach im Thronsaal
des Schweriner Schlosses zu sehen ist, stirbt 1862. Seine
zweite Frau, Anna von Hessen, mit der Alexandrine nach
eigenem Bekenntnis besser zurechtkommt als mit Auguste,
stirbt, erst 22 Jahre alt, bei der Geburt der Tochter Anna.
Auch Prinzessin Anna wird nur 17 Jahre alt. Ihr jüngerer

Sohn, der Prinz Wilhelm, verläßt die Welt mit 52 Jahren 1879. Lieblingsbruder Wilhelm, seit 1861 preußischer König, seit 1871 deutscher Kaiser, wird allerdings fast 91 Jahre alt, stirbt aber auch noch vor ihr im Dreikaiserjahr 1888. Sein Sohn Friedrich, der als Kaiser Friedrich III. nach ihm auf den Thron gelangt, regiert nur 99 Tage und stirbt am 15. Juni 1888 an Kehlkopfkrebs.

Wie gesagt: Alexandrine überlebt sie alle. Sie überlebt auch in den Herzen und Seelen der Mecklenburger. Sie selbst stirbt, 89 Jahre alt, am 21. April 1892 in Schwerin.

Hugo Berwald, der 1863 in Schwerin geboren wurde und 1937 in seiner Vaterstadt starb, schuf, als Nachfolger der Berliner Bildhauerschule und Schüler von Albert Wolf und Friedrich Schaper, das großartige Marmordenkmal der Großherzogin Alexandrine, das an dem (neben Heiligendamms Hochufer) zweiten Lieblingsplatz Alexandrines 1907 in Anwesenheit von Alexandrines Großneffen, dem prahlerischen deutschen Kaiser Wilhelm II., dem „Kaiser mit den korten Arm", wie die Mecklenburger ihn etwas spöttisch nannten, im Greenhous-Garten, eingeweiht wurde. Es überdauerte alle Zeiten. 1994 und 1995 wurde es gründlich restauriert*).

---

*) In einem Beibuch zu unserer Biographie dokumentiert der Demmler-Verlag in Wort und Bild die Rekonstruktion des Denkmals, die der Initiative der Hamburger Unternehmerin Brigitte Feldtmann zu danken ist.

Denkmal der Großherzogin Alexandrine von
Hugo Berwald im Schweriner Grünhausgarten
Reproduktion einer historischen Postkarte von 1907

Die „großen Linien"

Das Schema ist stark vereinfacht. Es vernachlässigt genealogische Prinzipien.

Die russische Linie Die mecklenburgische Linie Die preußische Linie

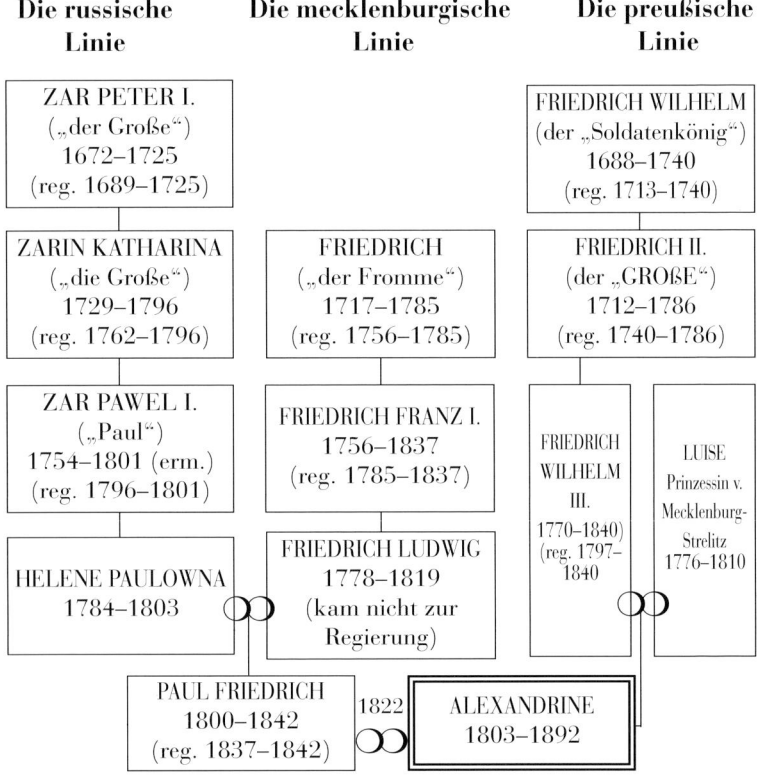

Die Mecklenburger Linie

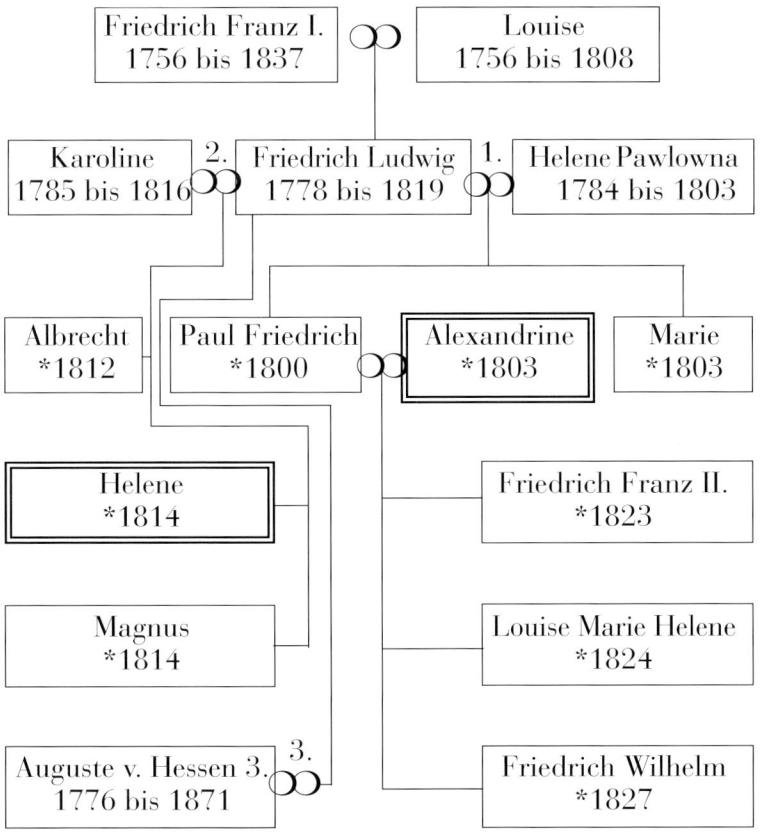

Quellen- und Literaturhinweise

Archivalien

Mecklenburgisches Landeshauptarchiv Schwerin:

Briefschaften aus dem Nachlaß des Großherzogs Friedrich Franz II., abgegeben an das Archiv am 6. 4. 1901, darunter der Briefnachlaß der Großherzogin Alexandrine. Paket 2, 4, 7

Nachlaß Ihrer Königlichen Hoheit der hochseligen Großherzogin Mutter Alexandrine..., Couvert 1, 3, 5, 6, 7, 8, 9, 10, 11, 12, 13, 14, 15, 26, 28, 30; Paket 2, 4, 29, 36; Carton 32, 33

Einzelne Archivalien im Bestand Kab. I., Großh. Haus

Bücher (Auswahl)

Staatskalender 1821 bis 1892: Mecklenburg Schwerinscher Staatskalender. Schwerin: Verlag der Hofbuchdruckerei

Wilhelm von Preußen: Briefe an seine Schwester Alexandrine ... Bearbeitet und herausgegeben von Johannes Schultze. Berlin: Koehler, 1927

Jesse, Wilhelm: Geschichte der Stadt Schwerin. Von den ersten Anfängen bis zur Gegenwart. Band I: Schwerin; Davids, 1913; Band II: Schwerin; Bärensprung, 1920

Mommsen, Theodor und Heinrich von Treitschke: Königin Luise. Zwei Festreden. Berlin: Reimer, 1876

Luise Königin von Preußen: Briefe und Aufzeichnungen. Herausgegeben und erläutert von Karl Griewank. Leipzig: Bibl. Institut, 1925

Fontane, Theodor: Von Zwanzig bis Dreißig. Autobiographisches. Leipzig: Dieterich, 1968

Vitense, Otto: Geschichte von Mecklenburg. Gotha:Perthes, 1920

Königin Luise. Historische Bilddokumente. Herausgegeben von Georg Schuster. Berlin: Schröder, 1934

Rochow, Caroline v. und Marie de la Motte-Fouqué: Vom Leben am preußischen Hofe. Bearbeitet von Luise von der Marwitz. Berlin: Mittler & Sohn, 1908

Hirschfeld, Ludwig von: Friedrich Franz II., Großherzog von Mecklenburg-Schwerin und seine Vorgänger. Nach Staatsakten, Tagebüchern und Korrespondenzen. Band I, II. Leipzig: Duncker & Humblot, 1891

Oertzen, Hellmuth von: Das Leben und Wirken des Staatsministers Jasper von Oertzen. Ein Beitrag zur Geschichte Mecklenburgs. Schwerin: Bahn, 1905

Cecilie von Preußen: Erinnerungen. Leipzig: Koehler, 1930

Belletristisches

Apperley, Charles James: Aus alten Zeiten (Nimrods Tagebuch). Neudruck. Berlin: Vobach, 1910

Römer, Alexander (d. i. Charlotte Regenstein): Unter dem Purpur. Roman. Dresden, Leipzig:Pierson, 1890

Richter, Egon, Die letzte Fahrt der Königin Luise, Berlin 1988

Neuere Bücher

Krempien, Margot: Schweriner Schloßbaumeister G. A. Demmler (1804 – 1886). Schwerin: Demmler, 1991

Borchert, Jürgen: 150 Schweriner Persönlichkeiten aus der Kulturgeschichte. Schwerin: Demmler, 1992

Borchert, Jürgen: Mecklenburgs Großherzöge (1815 – 1918). Schwerin: Demmler, 1992

Karge, Wolf: Heiligendamm – erstes deutsches Seebad. Schwerin: Demmler, 1993

Bildnachweis

Demmler-Verlag Dr. Margot Krempien, Schwerin: S. 62, 76, 106, 123, 128 (2), 145, 160, 167

Christian Ludwig Herzog zu Mecklenburg: S. 157

Frau M.-L. Deutschewitz, Wismar: S. 167, Postkarte

Landesbibliothek Mecklenburg-Vorpommern, Schwerin: Frontispiz, S. 12, 13, 29, 31, 32, 36, 56, 102, 154, 155, 163

Mecklenburgisches Landeshauptarchiv, Schwerin: S. 43, 150

Staatliches Museum, Schwerin: Einband, S. 60, 126

Archiv Jürgen Borchert: S. 7, 15, 20, 21, 28, 41, 90, 112

Dankzettel

Autor und Verlag danken den nachstehenden Personen und Einrichtungen für ihre vielfältige Unterstützung und Förderung des Buches über Alexandrine:

Mecklenburgisches Landeshauptarchiv Schwerin,

Landesbibliothek Mecklenburg-Vorpommern,

Staatliches Museum Schwerin,

den Archivaren und Bibliothekaren Dr. Peter-Joachim Rakow, Dr. Rolf-Jürgen Wegener, Grete Grewolls und Kristiane Taeger und ihren Mitarbeitern in Schwerin,

Frau Brigitte Feldtmann, Hamburg und

S. H. Christian Ludwig Herzog zu Mecklenburg, Hemmelmark.

Der besondere Dank des Autors gilt Herrn Prof. Dr. Enrico Straub, Berlin, der die schwierige Transkription und Übersetzung der Aufzeichnungen der Zarin Alexandra Feodorowna (S. 84ff.) besorgte.

Zum Autor

Jürgen Borchert
(1941-2000)

Lebte als Publizist und Schriftsteller in Schwerin. Seit etwa 20 Jahren hat er zahlreiche Bücher als Autor und Herausgeber veröffentlicht. Seine Themen sind Kultur- und Landesgeschichte Mecklenburgs, Biographien und romanhafte Darstellungen zur deutschen Literaturgeschichte, hauptsächlich des 19. Jahrhunderts. Bekannt sind u.a. seine im Rostocker Hinstorff Verlag erschienenen „Mecklenburgischen Zettelkästen". Im Demmler Verlag kamen von ihm „Spaziergänge in Mecklenburg", „Spaziergänge auf Rügen", „Mecklenburgs Großherzöge", „Alexandrine. Die ,Königin' von Mecklenburg", „Vadder kocht" und „Heinrich Seidels Lebenswelten" heraus.

175

Im Demmler Verlag bisher erschienen (Auswahl):
Bücher zur Kultur- und Landesgeschichte, zur Natur und Umwelt und Reiseliteratur über Mecklenburg-Vorpommern:

Jürgen und Erika Borchardt
MECKLENBURGS HERZÖGE
Ahnengalerie Schloß Schwerin
122 S., 35 Farbfotos
Broschur, 14.80 DM
ISBN 3-910150-07-1

Jürgen Borchert
MECKLENBURGS GROSSHERZÖGE
120 S., 10 s/w-Fotos, 17 Farbfotos
Broschur, 19.80 DM
ISBN 3-910150-14-4

Margot Krempien
G. A. DEMMLER (1804–1886)
Schweriner Schloßbaumeister
128 S., 62 s/w-Fotos, 13 Farbfotos
Broschur, 14.80 DM
ISBN 3-910150-06-3

Klaus-Henning Schroeder
DAVIDS' ENKEL
Eine Jugend in Schwerin
240 S., 45 s/w-Fotos
Broschur, 22.– DM
ISBN 3-910150-08-X

Wolf Karge
HEILIGENDAMM
Erstes deutsches Seebad
144 S., 34 s/w-Fotos, 23 Farbfotos
Hardcover, 24.80 DM
ISBN 3-910150-17-9

Werner Stockfisch
MECKLENBURG in Bildern
von Wilhelm Facklam
27 S., 31 Farbfotos, 5 s/w-Fotos
Hardcover, 24.80 DM
ISBN 3-910150-19-5

Jürgen Borchert
SPAZIERGÄNGE
in Mecklenburg
144 S., mit 12 farbigen Pastellen und
30 s/w-Zeichnungen von Horst Schmedemann
Hardcover, 24.80 DM
ISBN 3-910150-15-2

Werner Lindemann
GEDANKEN sind Kinder der Stille
80 S., mit 10 farbigen Pastellen von
Horst Schmedemann
Hardcover, 1980 DM
ISBN 3-910150-21 7

Brigitte Birnbaum
FONTANE in Mecklenburg
144 S., 47 s/w-Fotos
Hardcover, 24.80 DM
ISBN 3-910150-22-5

Jürgen Borchert
VADDER KOCHT oder wie man
eine Küche verwüstet.
Norddeutsche Hausmannskost.
128 S., 22 Zeichnungen von
Horst Schmedemann
Hardcover, 24.80 DM
ISBN 3-910150-23-3

Werner Stockfisch
FARBENKLÄNGE
Der Künster Rudolf Gahlbeck
120 S., 14 s/w und 46 farbige Abb.
Hardcover, 26.80 DM
ISBN 3-910150-28-4

National- & Naturparkführer
Mecklenburg-Vorpommern
88 S., 63 Farbfotos
Broschur, 12.80 DM
ISBN 3-910150-11-X

Karin Blase
HIDDENSEE von A–Z
128 S., 45 Farbfotos
Broschur, 14.80 DM
ISBN 3-910150-16-0

Manfred Kutscher
FLORA & FAUNA
an der Ostseeküste von Me-VO-PO
216 S., 373 Farbfotos
Klappenbroschur, 26.80 DM
ISBN 3-910150-18-7

Überall im Buchhandel erhältlich. Fordern Sie auch das Gesamtverzeichnis der lieferbaren Titel des Verlages an: Demmler Verlag, Dr. M. Krempien, Bahnhofstraße 36, 19057 Schwerin, Tel./Fax: 0385/4 84 49 79